EGON LE VASCON

EGON LE VASCON

Robert Escarpit

VIVISQUES

DU MÊME AUTEUR

pour la jeunesse

Les Contes de la Saint-Glinglin, Paris, Magnard, 1973
Les reportages de Rouletabosse, Paris, Magnard, 1978
Le réveillon de Sophie, Paris, Magnard, 1978
Les vacances de Rouletabosse, Paris, Magnard, 1980
Petit Gambu, Paris, Magnard, 1981
Les enquêtes de Rouletabosse, Paris, Magnard, 1983
Meurtre dans le pignadar, Paris, Hachette, 1986
La ronde caraïbe, Paris, Hachette, 1987
Question d'étiquette, Paris, Hachette, 1987
Le petit dieu Okrabe, Paris, La Farandole, 1987
Papa 1000, Paris, Magnard, 1988
Peinture fraîche, Paris, Magnard, 1989

et quelques autres...

Le littératron, Paris, Flammarion, 1964
Lettre ouverte à Dieu, Paris, Albin Michel, 1966
Honorius Pape, Paris, Flammarion, 1967
Paramémoires d'un gaulois, Paris, Flammarion, 1968
Appelez-moi Thérèse, Paris, Flammarion, 1975
Les va-nu pieds, Paris, Éditions Universitaires, Paris, 1982
Les voyages d'Hazemlat, Paris, Flammarion
   1 - **Marin de Gascogne**, 1984
   2 - **Le prisonnier de Trafalgar**, 1985
   3 - **Vents et marées**, 1986
Carnets d'outre-siècle, Paris, Messidor, 1989

© Vivisques
ISBN 2 907310 04 6
Dépôt légal juin 1989

A Bernard Lubat,
barde vascon

SOMMAIRE

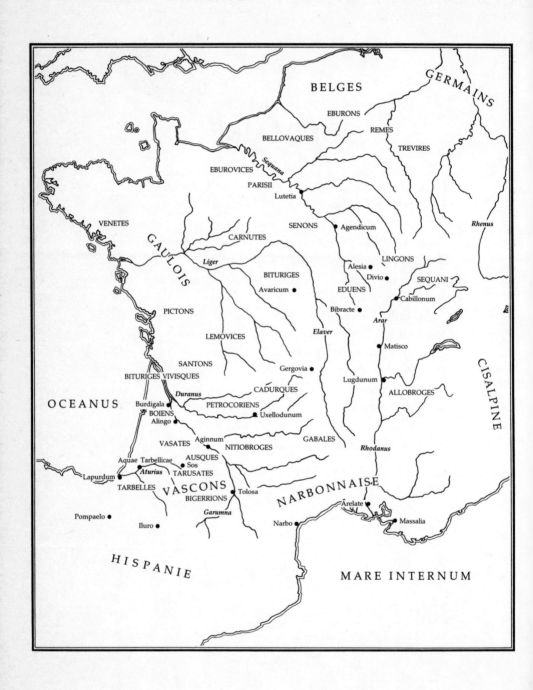

GERMAINS

BELGES

EBURONS

BELLOVAQUES

REMES

TREVIRES

EBUROVICES

Sequana

PARISII

Lutetia

VENETES

GAULOIS

SENONS

Agendicum

Rhenus

CARNUTES

LINGONS

Liger

Alesia

Divio

SEQUANI

BITURIGES

Avaricum

EDUENS

Cabillonum

PICTONS

Bibracte

Arar

LEMOVICES

Elaver

Matisco

SANTONS

Gergovia

Lugdunum

CISALPINE

BITURIGES VIVISQUES

Duranus

CADURQUES

ALLOBROGES

OCEANUS

Burdigala

PETROCORIENS

BOIENS

Alingo

Uxellodunum

GABALES

VASATES

Aginnum

NITIOBROGES

Rhodanus

Aquae Tarbellicae

AUSQUES

Sos

Aturius

TARUSATES

Lapurdum

VASCONS

NARBONNAISE

TARBELLES

BIGERRIONS

Tolosa

Arelate

Pompaelo

Garumna

Iluro

Narbo

Massalia

HISPANIE

MARE INTERNUM

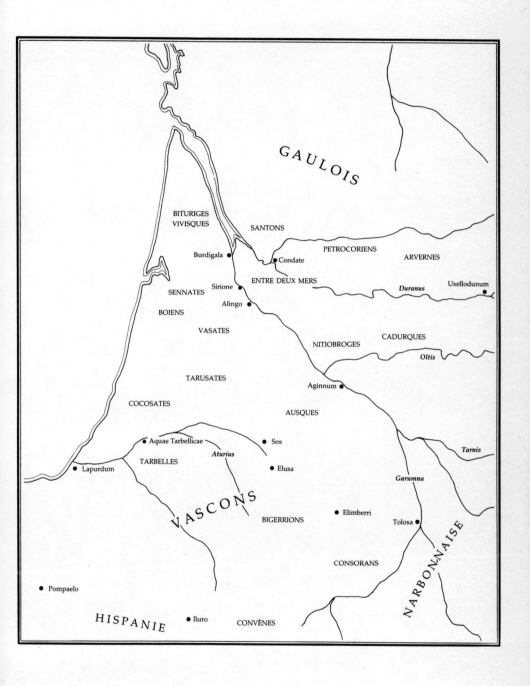

GAULOIS

BITURIGES
VIVISQUES

SANTONS

Burdigala ● PETROCORIENS ARVERNES

● Condate

Duranus Uxellodunum ●

ENTRE DEUX MERS

Sirione ●

SENNATES

Alingo ●

BOIENS

VASATES

NITIOBROGES CADURQUES

Oltis

TARUSATES

Aginnum ●

COCOSATES

AUSQUES

Aquae Tarbellicae ● ● Sos *Tarnis*

Aturius

Lapurdum ● TARBELLES ● Elusa

Garumna

V A S C O N S Elimberri ●

Tolosa ●

BIGERRIONS

N A R B O N N A I S E

CONSORANS

Pompaelo ●

HISPANIE ● Iluro CONVÈNES

AVANT-PROPOS

ASTÉRIX N'EST pas mon grand-père. Je suis gascon et si j'ai des Gaulois dans mes ancêtres, ou des Ibères, ou des Basques, ou des Wisigoths, ou des Arabes, ou des Juifs c'est que nous autres, Gascons, sommes la plus pure race de bâtards qui ait jamais existé. Mais gascons nous sommes et gascons nous restons dans notre beau pays d'Aquitaine.

César l'avait fort bien écrit: « La Garonne sépare les Aquitains des Gaulois ». Il ne précise pas qui étaient ces Aquitains et il y a beaucoup de discussions à ce sujet. Ce qui complique un peu les choses, c'est qu'à une époque très antérieure à la conquête des Gaules par les Romains, certains Celtes (c'était le nom que les Gaulois se donnaient) étaient venus s'installer à l'estuaire de la Gironde. C'étaient les Bituriges Vivisques et, commerçants dans l'âme, ils fondèrent sur la Garonne le grand port de Burdigala qui devait devenir Bordeaux.

Mais dans tout le reste de l'Aquitaine, de la Garonne aux Pyrénées, vivaient des peuples qui n'avaient rien de celte. On les appela plus tard les Gascons et les Basques qui sont deux formes d'un même mot tiré du latin *Vascones*.

Pourquoi les Romains appelèrent-ils ces peuples les *Vascones*? La raison la plus évidente est que c'était le nom par lequel ils se désignaient dans leur langue.

On retrouve la racine du nom *Vasco* (prononcé *wasko*) dans le nom d'*Euskaldun* que les Basques se donnent à eux-mêmes, dans le nom de la ville de Huesca en Espagne, dans celui de la ville d'Auch qui lui vient du peuple des *Ausci* et qui d'ailleurs portait jadis le nom basque d'Elimberri.

11

Il est donc permis de penser que tout le vaste territoire qui inclut l'Aquitaine actuelle, le Gers, les Hautes Pyrénées, le Pays basque français et espagnol, la Navarre et l'Aragon était, à l'arrivée des Romains, occupé par une population dont la culture et la langue étaient proches de celles des Basques actuels. Les Romains avaient d'abord soumis le sud-est de la Gaule, de Marseille à Narbonne, puis le nord de l'Hispanie, au sud des Pyrénées et César s'était appliqué à soumettre la Gaule au nord de la Garonne, mais il avait laissé les Aquitains en paix jusqu'au moment où il lui fallut établir des lignes de communication entre les deux conquêtes romaines de part et d'autre des Pyrénées, l'une par le bord de la mer, l'autre par le col du Somport, au milieu de la chaîne. Il chargea de cette tâche son lieutenant Crassus avec des effectifs modestes : une légion et demi.

En deux batailles, Crassus s'assura l'allégeance des Vascons de la plaine et de la rivière qui n'avaient guère de sympathies pour les Gaulois braillards et pillards qui menaçaient sans cesse leur sécurité. En quelques générations, ils furent latinisés et parlèrent une forme de latin populaire qui s'apparentait aux langues occitanes employées dans les provinces anciennement conquises par les Romains, la Narbonnaise et la Provence, mais qui conservait de très fortes influences basques : c'est le gascon que plus d'un million de personnes peuvent parler et comprendre encore de nos jours, même si quelques dizaines de milliers à peine l'emploient quotidiennement. De leur côté, les Vascons de la montagne continuèrent à parler leur ancienne langue qui a donné le basque actuel.

Les invasions et notamment celle des Wisigoths (qui parlaient latin) achevèrent de séparer les deux communautés, mais il ne faut jamais oublier que, de la Garonne au Nervion, d'Auch à Pampelune, malgré les colonisations, les mélanges, les brassages, c'est le même peuple qui est toujours là, avec ses traditions, son tempérament, ses traits linguistiques.

Les gens du Nord peuvent bien avoir Vercingétorix comme héros national, nous n'avons pas grand-chose à voir avec lui. C'est pourquoi il m'a paru utile et amusant d'imaginer un héros vascon qui a vécu la conquête romaine d'une autre façon que les Gaulois. Egon, en basque, c'est « celui qui reste ». Les livres d'histoire peuvent bien raconter ce qu'ils veulent, deux mille ans après, Egon est toujours là.

R. E.

L'INITIATION

GON VENAIT d'avoir treize ans et le village de Baratz s'apprêtait à célébrer la cérémonie de son accession à l'adolescence quand arriva la nouvelle de la défaite des Sosiates par l'armée du chef rom Licinius Crassus. Les mineurs de Sos[1] avaient héroïquement défendu leur citadelle en lançant d'abord en avant leur fameuse cavalerie qui fut taillée en pièces. A la fin, assiégés dans leurs galeries, ils avaient dû déposer les armes devant un ennemi très inférieur en nombre, mais supérieurement organisé et aguerri. Les Roms, rapportait le messager de Sos, n'avaient massacré personne et ne s'étaient livrés à aucun pillage comme le faisaient les Kelts lors de leurs raids. Au contraire, le chef rom avait confirmé dans ses pouvoirs le *gehien* Adiatuan, se contentant de prendre quelques guerriers en otages et d'exiger un tribut raisonnable.

Dès l'arrivée du messager, on avait convoqué à Baratz un conseil dans la hutte de la tribu, le *biltoki etxea*. Accroupi dans la vase du bord de rivière, Egon avait observé toute la matinée les allées et venues autour de la grande construction de bois, au toit de chaume. Il avait vu d'abord passer Aberat, le chef du village, barbu et large d'épaules, tenant en mains l'épieu de fer qui était l'insigne de son pouvoir. Puis était arrivé Haret, le forgeron aux bras puissants, suivi d'une douzaine d'anciens, parmi lesquels Zuhur, le prêtre de Jaongoïkoa.

Il se tourna vers son ami Arkatz qui était accroupi à côté de lui. D'un an plus âgé qu'Egon, Arkatz avait déjà passé l'épreuve

---

1. Actuellement Sos dans le Gers, près de Mézin.

de l'adolescence. C'était un *mutik*, un jeune homme, autorisé à porter les armes et à apprendre le métier de son père, alors qu'Egon n'était, pour quelques heures encore, qu'un *haur* un enfant. S'il échouait à l'épreuve d'initiation, il deviendrait un *sehi*, un valet, au service de quelque riche citoyen de Baratz. S'il triomphait, il serait lui-même un *mutik* et se verrait adopté dans une famille. Ce serait probablement celle d'Haret et Arkatz qui était déjà son ami, deviendrait son frère. Egon n'avait pas de famille. Son père et sa mère avaient été massacrés peu après sa naissance au cours d'un raid des sauvages Kelts Santons qui franchissaient parfois le fleuve Garom pour venir attaquer les villages des Gizons sur la rive gauche. Ils étaient à la recherche de fer, métal que les Gizons savaient travailler et qui était plus recherché encore que le bronze produit de temps immémoriaux par les Bibisks dans la basse vallée du fleuve. Le cuivre venait de Sos et l'étain arrivait de Thulé par navires entiers dans le vaste estuaire du Garom.

— Crois-tu qu'ils vont annuler l'épreuve d'initiation ? demanda Egon à Arkatz. L'affaire de Sos va les occuper.

— Cela dépend d'Aberat et de Zuhur, mais je ne crois pas. Après tout, la cérémonie ne dure pas tellement longtemps. Si tu suis mes conseils, tu devrais venir à bout du taureau sans trop de mal. J'ai moi-même martelé la lame de l'épée que mon père a fabriquée pour toi. C'est de ce fer particulièrement dur qu'on obtient quelquefois en faissant chauffer les lingots avec du bois et que les marchands de Burdigala[1] appellent *khalyps*.

— J'ai vu le taureau chez Zuzen, le vacher, dit Egon. Il est beau.

— Et bien encorné.

— Ce sera dommage de le tuer... à moins qu'il ne me tue.

— Tu le tueras et sa force passera en toi.

Pendant la réunion des hommes, la vie du village était comme arrêtée. Des enfants poussaient des oies dans le marécage du bord de rivière, à la recherche de vers de vase, mais les gros paniers ronds couverts de peaux qui servaient d'embarcations

---

1. Actuellement *Bordeaux*.

pour la pêche, étaient tirés à sec sur la rive. Quelques femmes fanaient le foin du regain dans un champ voisin. Les trente et quelques huttes qui formaient le village semblaient abandonnées. Soudain, d'une d'entre elles, sortit une jeune fille d'une quinzaine d'années, cheveux ébouriffés et longue tunique brune flottant sur ses jambes minces.

— Ezti ! cria Arkatz. Nous sommes ici !

La jeune fille courut vers eux, pieds nus dans la poussière du sentier. Elle avait un visage mat, aux pommettes hautes, et des yeux très brillants.

Ezti était la fille du chef Aberat et Arkatz était follement amoureux d'elle. Il l'avait confié à Egon, mais, lui qui n'avait peur de rien, tremblait devant Ezti qui, elle non plus, n'avait peur de rien et lui inspirait plus de crainte qu'un guerrier kelt.

— Que faites-vous là, tous deux, accroupis dans la vase ? cria Ezti. Est-ce ainsi que tu te prépares au combat, Egon ?

— Nous attendons la fin de la réunion des anciens, répondit Arkatz. Nous nous demandions si la cérémonie aurait lieu.

— Bien sûr qu'elle aura lieu ! Mon père a donné des instructions avant de partir pour le *biltoki etxea*. Zuzen a déjà amené le taureau dans notre enclos et, tandis que notre valet Estancon le maintenait avec des cordages, je lui ai orné les cornes de brins de laine de toutes les couleurs. Tu auras un digne adversaire, Egon.

Un tambourinement rythmique leur fit tourner la tête vers le fleuve. Un chaland à fond plat, une haute tête d'oiseau en proue, remontait le Garom, peinant de toute la force de son unique rangée de vingt rames. Une grande voile carrée, peinturlurée de dessins étranges, cherchait à tirer parti du faible vent d'ouest.

— Ce sont des marchands poïniks, dit Arkatz. Ils transportent du bronze et du sel de Burdigala à Tolosa[1].

Des hommes en armes étaient rangés sur le plat bord, surveillant la rive droite. Egon mit sa main en visière au dessus de ses yeux.

---

1. Actuellement *Toulouse*.

— On dirait des guerriers bibisks.

— Ils escortent le bateau jusqu'à Aginnum[1] où les Roms ont une garnison. Les Kelts attaquent souvent les marchands sur le fleuve.

— Mais les Bibisks sont des Kelts eux-mêmes.

— Ce ne sont pas des sauvages comme les Santons et les Nitiobrogs. Les Kelts qui se sont établis sur cette rive-ci du fleuve depuis plus longtemps que ne se souviennent les anciens, comme les Bibisks, sont surtout des marchands. Mon père est allé plusieurs fois à Burdigala. Il dit qu'il y a un grand port à l'embouchure de deux rivières sur le Garom et qu'on y parle toutes les langues.

Comme tous les enfants du fleuve, outre sa langue maternelle, celle des Gizons, Egon comprenait le kelt des villages sennates qui s'égrenaient en aval sur le Garom, mais il avait entendu parler bien d'autres langues quand, d'aventure, un bateau faisait escale à Baratz pour charger du fer, des peaux, du grain, de la laine ou décharger du vin et de l'huile. Il avait l'oreille juste et singeait facilement les accents.

Il n'avait jamais entendu parler rom. Pourtant, depuis son enfance, bien des légendes merveilleuses entouraient ce peuple mystérieux de conquérants venus de l'est qui dominait la vallée du Garom en amont d'Aginnum et avait, disait-on, construit au-delà, des villes extraordinaires dont la plus grande était la capitale du monde. On disait aussi qu'ils avaient conquis le pays de l'autre côté des lointaines montagnes du sud. Parmi les mineurs boïens qui exploitaient le minerai de fer dans le sable du Grand Marécage et venaient régulièrement en apporter des charrois à la forge d'Haret, il y avait parfois des Gizons à la peau brune, parlant un dialecte étrange, mais compréhensible, qui avaient jadis émigré du pays de Nafar[2], conquis par les Roms à la génération précédente. Les Boïens eux-mêmes étaient un curieux mélange de Gizons de toutes origines et de Kelts établis là depuis plus longtemps que les Bibisks.

1. Actuellement *Agen*.
2. Actuellement *La Navarre*.

Et voici que les Roms arrivaient. Ils étaient à moins de quatre jours de marche de Baratz dans la Grande Forêt. Les Gizons Ausks, peuple auquel appartenaient les habitants de Baratz, n'avaient pas d'hostilité particulière envers eux. Les Roms avaient, disait-on, durement étrillé les Kelts du nord et cela n'était pas pour déplaire. Maintenant, ils franchissaient le Garom et avançaient en territoire ausk. Fallait-il les considérer en alliés, en protecteurs, en ennemis ? Quelle serait l'attitude des autres peuples gizons qui vivaient entre montagne et fleuve, les Bazats, les Taruzats, les Tarbels ?

On devait discuter de tout cela dans la hutte de la tribu. Egon se sentait tout petit et insignifiant face à ces graves problèmes. Il leva les yeux vers Ezti et Arkatz qui, s'étant avancés sur une langue de gravier, regardaient s'éloigner le bateau. On aurait dit un oiseau battant des ailes à la surface argentée du Garom. Avec la marée descendante, le courant commençait à tourner. Avant longtemps, il deviendrait trop fort pour les rameurs. Il leur faudrait alors accoster en amont et peut-être essayer de haler l'embarcation. Ce serait un moment dangereux, car ils se trouveraient juste en face du village nitiobrog perché sur les hauteurs qui dominaient le coude du Garom sur la rive droite. Mais il était peu probable que les Kelts tentent une attaque en plein jour. Ce n'étaient pas de bons navigateurs et leurs radeaux ne résisteraient sans doute pas aux projectiles de la petite baliste qu'Egon avait vu montée à la poupe.

— Egon !

Il se retourna vivement. Sur la porte du *biltoki etxea*, Aberat l'appelait de sa voix profonde. Il s'avança. Derrière le chef, les membres du conseil sortaient un à un. Il y avait là Haret, Zuhur et aussi Amagoïa, la vieille maîtresse des femmes. Derrière eux, Egon reconnut le messager de Sos à sa tunique en peau de loup et à son large bonnet de laine noire.

— Egon, dit Aberat, Zuhur et moi partirons dès demain matin pour rencontrer le chef rom à Sos. Tu subiras donc ton épreuve d'initiation aujourd'hui même à midi. Va avec Zuhur et Amagoïa. Ils te prépareront. Arkatz, apporte-lui son épée.

Devant l'autel de Jaongoïkoa, Zuhur coupa une mèche des

cheveux noirs d'Egon et la fit brûler dans le feu de brande qu'entretenaient deux serviteurs. Puis Amagoïa le dépouilla de sa souquenille de toile grossière.

— Etends-toi sur cette natte, dit-elle.

Longuement, elle lui passa sur le corps une huile qu'elle tirait d'une courge sèche, s'attardant à masser les muscles des jambes et des épaules. Egon sentit une bienfaisante chaleur pénétrer ses membres.

Quand elle eut terminé, elle lui tendit une sorte de jupe en peau tannée qui lui descendait jusqu'aux genoux.

— Mets ceci. Tu garderas le haut du corps nu.

Egon finissait de boucler le vêtement quand Arkatz survint. Il tenait à la main une épée un peu moins longue que son bras. La pointe en était effilée et, à sa plus grande largeur, la lame devait avoir deux pouces. La poignée était en bronze, entourée d'une courroie de cuir tressé.

— Tu passeras la courroie autour de ton poignet, dit-il. Cela te permettra de garder les mains libres. Le seul moyen de déséquilibrer le taureau, c'est de le prendre par les cornes. Le tout est de s'approcher suffisamment de lui.

Saisissant la poignée de bronze, Egon soupesa l'épée. Elle était légère et bien balancée. L'onguent d'Amagoïa lui avait délié les bras et les jambes. Il gonfla longuement sa poitrine, soudain désireux d'affronter son adversaire et d'en finir.

Zuhur lui tendit une écuelle.

— Bois.

Le breuvage était amer, mais Egon le sentit s'insinuer dans son sang comme un feu de puissance. Il ne douta pas que l'esprit de Jaongoïkoa fût en lui, le rendant invincible.

Une corne beugla à l'extérieur et aussitôt un mugissement creux et rauque lui répondit. Arkatz mit la main sur l'épaule d'Egon.

— C'est le moment, dit-il. Ton adversaire est là.

Quand Egon sortit de la hutte de Zuhur, il fut d'abord ébloui par le soleil du milieu du jour. C'était un soleil d'automne, doré et légèrement tamisé par la brume ténue qui montait du Garom. Il distingua les gens du village rangés en cercle autour de l'esplanade qui lui parut plus grande que d'habitude. Ce n'est qu'au bout d'un moment qu'il vit le taureau en face de lui, devant le *biltoki etxea*. Estancon le retenait péniblement au bout d'une corde. C'était une bête jeune, au pelage roux et aux cornes hautes, parées des brins de laine qu'Ezti y avait noués. Il piaffait rageusement, le mufle au sol, soulevant la poussière de son souffle saccadé.

Aberat leva la main, une corne retentit et, d'un geste rapide, Estancon dégagea la corde. Le taureau bondit en avant, vira à droite, puis à gauche et s'arrêta net au milieu de l'esplanade, le garot levé, humant l'air de son mufle noir et luisant. Egon s'avança d'un pas lent et égal, comme il avait vu faire les hommes qui affrontaient la bête.

Il parvint à trois pas du taureau sans que l'animal ait paru faire attention à sa présence. En évitant de faire des mouvements brusques, il relâcha la courroie qui maintenait l'épée à son poignet. C'est alors que le taureau, tournant soudain son cou massif, fonça sur lui, tête baissée. Egon s'esquiva de justesse. L'animal pivota brutalement sur ses sabots en soulevant un nuage de poussière et chargea de nouveau, cornes basses. Cette fois, Egon l'évita sans peine, car il avait prévu le mouvement.

Immobilisé à dix pas de lui, le taureau, tête basse et cornes en avant, respirait bruyamment, avec des mugissements courts. Se tenant exactement dans l'axe de son front, Egon s'avança vers lui, les bras écartés, laissant prendre son épée à son poignet droit. Le taureau avait cessé de piaffer et se tenait parfaitement immobile, comme hypnotisé. Quand il fut à deux pas de l'animal, Egon bondit soudain, saisissant à pleines mains chacune des deux cornes.

Aussitôt, il se sentit soulevé par une force irrésistible. Il lâcha prise et alla s'écraser à quinze pas dans la poussière. Etourdi, le souffle coupé, il sentit que la pointe de l'épée avait fait une estafilade le long de sa jambe droite. Déjà, le taureau fonçait sur lui, tambourinant le sol de ses sabots. Instinctivement, il roula sur le côté et sentit une corne labourer la terre à quelques pouces de son dos. D'un bond, il se remit debout. A quatre pas, il vit le

21

taureau qui s'était immobilisé, lui présentant sa croupe puissante et regardant de l'autre côté de l'esplanade. Sans hésiter, il bondit et empoigna les cornes par derrière. Cette fois, le coup d'épaules de l'animal ne le prit pas par surprise. Il tint bon, se laissant porter contre le flanc roux et rèche et essayant d'assurer ses pieds sur le sol. Il savait que sa seule chance, désespérée en apparence, était de déséquilibrer l'animal et de lui faire mettre les genoux en terre. Ce serait une question d'habileté plus que de force, car Egon, assez mince, avait à lutter contre un adversaire cinq à six fois plus lourd que lui.

Le nez dans la toison malodorante, il ne voyait plus rien que la touffe de poil roux qui couronnait la tête du taureau. Les mains crispées sur les cornes polies, il se laissait balloter douloureusement, tantôt traîné à terre, tantôt balancé en l'air, mais il restait attentif aux évolutions de l'animal, guettant le moment où le taureau faisait pivoter sa tête massive vers lui. Il tentait alors d'accompagner le mouvement en appuyant de tout son poids. Trois fois il essaya et trois fois il échoua. Bien arc-bouté sur ses pattes, l'animal reprenait son équilibre et redressait sa tête. La troisième fois, pourtant, il trébucha et Egon reprit espoir.

Mais ses mains contractées commençaient à lâcher prise. La corne droite lui échappa au moment où le taureau, d'un violent coup de tête, enfonça sa corne gauche dans le sol à un pouce de la cuisse d'Egon. D'un coup de rein désespéré, le garçon se jeta sur elle pour la bloquer et, assurant sa prise à deux mains sur l'autre corne, tira de toutes ses forces. Pendant un long moment, il ne se passa rien, les deux adversaires immobilisés et tendus à la limite de leur effort. Puis Egon sentit le sabot de la bête bouger. Repliant les jambes, il donna un coup violent sur la patte. Comme une masse, le taureau tomba sur le côté, coinçant sous lui les jambes d'Egon. Mais ses bras restaient libres. De la main droite, il fit virevolter l'épée, la saisit par la poignée et, la levant aussi haut qu'il put, la plongea dans le cou de la bête.

Le taureau rua violemment et se remit sur ses pattes, envoyant Egon tomber à plusieurs pas. Il baissa les cornes, prêt à charger. L'épée, enfoncée jusqu'à la poignée, ressortait de l'autre côté de son cou et un sang rouge vif ruisselait à grands flots sur son poitrail. Egon se relevait quand le taureau fonça. La corne gauche lui frôla l'épaule, laissant un sillon sanglant sur la peau moite. Il esquiva juste à temps pour voir l'animal s'arrêter net, puis s'effondrer d'un coup au milieu des acclamations.

Arkatz s'avança, alla retirer l'épée sanglante du corps du taureau et la tendit à Egon.

— Tu l'as bien gagnée, frère, dit-il.

Suivie de Zuhur, Amagoïa s'avança.

— Viens, *mutik*, je vais te soigner.

Les blessures étaient légères et elles furent vite pansées. Il y eut une brève cérémonie devant l'autel de Jaongoïkoa où les serviteurs de Zuhur apportaient déjà les entrailles du taureau pour les y faire brûler. Puis, lavé, massé et vêtu d'une tunique de laine brute semblable à celle d'Arkatz, Egon alla rejoindre les hommes sur l'esplanade. Déjà, on avait dépecé le taureau et allumé de grands brasiers pour y faire cuire les quartiers de viande.

Aberat l'attendait devant le *biltoki etxea*. Il prit le bras d'Haret qui était à côté de lui et mit sa main sur l'épaule d'Egon.

— *Mutik*, dit-il, celui-ci est désormais ton père. Obéis-lui et respecte-le, comme il obéit aux coutumes de notre peuple et les respecte.

— Egon, dit Haret, je te reconnais comme mon fils et le frère d'Arkatz. Celle-ci, Arima, mon épouse, est ta mère.

Arima, grande femme mince au visage finement ridé, s'avança et Egon mit un genou en terre devant elle. Arima posa sa main sur les cheveux drus du garçon.

— Tu es mon fils, Egon, dit-elle.

On apportait des pièces de viande rôtie. Tout le monde s'assit par terre et l'on commença à manger. Comme Egon déchirait la viande avec ses mains et ses dents, Haret lui tendit un couteau dont le manche était fait d'un bois de chevreuil.

— Tiens, fils. Je l'ai forgé en même temps que ton épée. Elle te servira pour ta main droite et celui-ci pour ta main gauche.

Titubant sous le poids, Estancon parut, portant une grande amphore qu'il piqua soigneusement en terre.

— C'est, dit Aberat, du vin du pays des Roms qu'a apporté un bateau poïnik. Il est meilleur que celui que font les Sennates. Le vin est une boisson qui donne du cœur, mais il ne faut pas en abuser comme les Kelts en ont l'habitude. Il peut rendre fou.

Quand Egon eut vidé la corne de bœuf qu'on lui tendit, il sentit sa poitrine se gonfler d'une nouvelle ardeur. Brandissant son épée au-dessus de sa tête, il poussa le cri de guerre des Gizons qui ressemblait au hennissement d'un cheval.

— Mort aux Kelts ! cria-t-il.

Aberat le regarda gravement.

— Pour le moment, dit-il, ce sont les Roms qui ont vaincu à Sos, mais, d'après le messager, ils ont avec eux des auxiliaires kelts. Les Sosiates les ont combattus comme on doit combattre tout envahisseur, mais les Roms se sont montrés des vainqueurs généreux. Il nous faut maintenant savoir s'ils viennent en ennemis ou si, comme ils le disent, ils veulent apporter la paix à nos peuples. Je n'aime pas plus les Kelts que toi, Egon, mais la guerre n'amène rien de bon. C'est pour cela que, demain à l'aube, Zuhur et moi allons partir pour Sos afin de rencontrer le chef rom. Afin d'éviter le territoire des Bazats, nous suivrons la rive du Garom jusqu'à l'embouchure du Baïtz, mais il y a quelques villages kelts sur cette rive. Nous emmènerons donc deux guerriers d'escorte. J'ai décidé que ce seraient Arkatz et toi.

LES LINGONS

L E LÉGAT Publius Licinius Crassus était un homme d'une trentaine d'années, au regard sombre et à la mine sévère. Assis sur un tabouret, sous sa tente de campagne, il dégustait lentement une coupe de vin de Pompéi tout en examinant une carte.

— Ces maudits géographes ne prennent jamais la peine d'aller voir sur le terrain les pays qu'ils représentent, maugréa-t-il. Ainsi, ce fleuve qui passe à Tolosa et va se jeter dans l'Océan... comment s'appelle-t-il, Tharsos?

— La Garumna[1], maître, répondit un personnage barbu et chauve qui se tenait auprès de lui.

— Regarde : ils l'ont représenté tout droit, alors qu'il dessine une grande courbe et qu'il a des dizaines d'affluents. Ce pays est plein de rivières.

— C'est bien pour cela, maître, qu'on l'appelle Aquitania[2], le pays des eaux. Il englobe toute la région comprise entre la Garumna et les Monts Pyrénées.

— Je sais, mais c'est un pays beaucoup plus vaste qu'on ne l'imagine à Rome. César m'envoie le conquérir avec à peine douze cohortes, tout juste un peu plus d'une légion, et quelques milliers d'auxiliaires gaulois en qui je n'ai pas confiance. Il y a quelques années, Préconinus s'y est fait tuer et Manlius s'y est fait mettre en déroute.

— Tu as déjà remporté une victoire, maître.

— Non sans peine. Quand Adiatuanus a contre-attaqué avec

1. Actuellement la *Garonne*.
2. Actuellement *Aquitaine*.

sa garde, il s'en est fallu de peu qu'il nous culbute. Sur le moment, j'ai bien eu envie de le faire décapiter!

— Cela aurait été contraire aux instructions de César, maître.

— César! Je me demande s'il n'a pas fait exprès de m'envoyer dans ce guêpier. Il n'a pas pu éviter de me confier un commandement militaire parce qu'il a besoin de l'argent et de l'influence de mon père pour maintenir l'équilibre des forces avec Pompée dans le triumvirat, mais il ne tient pas à ce que je me fasse un nom. Il se taille une réputation de conquérant dans le nord de la Gaule contre les Belges, mais moi, il m'a retiré de la compagne contre les Vénètes où je pouvais m'illustrer pour m'envoyer chez ces barbares qui ne sont même pas des Gaulois! Comment m'as-tu dit qu'ils s'appelaient?

— Les Sosiates que tu viens de vaincre, maître, font parti du peuple des Ausci, mais il y a, dit-on, entre ici et la mer huit autres peuples qui ne sont pas des Gaulois non plus. Si j'ai bien compris ce que m'a dit Egitik, le scribe d'Adiatuanus ils parlent des dialectes d'une même langue et appellent ceux qui parlent cette langue les *gisones*, c'est-à-dire les hommes.

— Ausci... Il y a un peuple de ce nom-là en Campanie?

— Ce sont peut être de lointains cousins. Les Osci de Campanie parlent un dialecte très particulier. Mais dans le nord de l'Hispanie, outre les Celtes et les Ibères, il y avait, quand nous avons conquis cette région, un peuple qui s'appelait lui même le peuple des Wosks. Nous leur avons donné le nom de Vascones[1]. Tu en as même un parmi tes soldats, maître.

— Un Vasco d'Hispanie?

— Oui, le décurion Marcus Indurus Liger. Bien que citoyen romain, il est originaire de la ville de Pompaelo que les Vascones appelaient Iruña.

— Va le chercher.

Tharsos sortit et Crassus se pencha de nouveau sur ses cartes. Pour autant qu'il en pût juger d'après les gribouillis des parchemins, le cours de la Garumna entre Aginnum et le territoire considéré comme déjà pacifié des Bituriges Vivisques n'avait guère plus de soixante-dix ou quatre-vingt milles. Le fleuve

---

1. D'où *Basques et Gascons*.

formait la frontière entre les Ausci et les Gaulois. Par contre, entre Sos et les Monts Pyrénées, il fallait compter plus de cent-vingt milles en terrain difficile et davantage s'il fallait atteindre l'Océan. La mission de Crassus était de dégager les passages des Pyrénées entre l'Hispanie et l'Aquitania afin de ménager à la conquête romaine des voies nord-sud. Avec ses maigres effectifs, il lui faudrait donc s'engager profondément vers le sud-ouest et protéger ses flancs et ses arrières tout en maintenant ouvertes ses lignes de ravitaillement. Une alliance avec les Ausci semblait être la seule solution raisonnable.

Le légionnaire de garde écarta le rideau de la tente.

— *Ave*, légat, le scribe du chef sosiate demande à te parler.

— Egitik? Qu'il entre.

Le scribe était un vieillard de grande taille à la peau parcheminée. Avec son nez en bec d'aigle, ses sourcils touffus et ses yeux noirs perçants, il avait grande allure. S'inclinant légèrement, il dit en un latin rocailleux:

— *Ave*, légat, le *gehien* Adiatuan m'envoie auprès de toi.

— Que désire-t-il?

— Il te fait dire que les délégations d'Elimberri[1] et d'Elusa[2], les deux autres principales cités des Ausks, ainsi que celles des tribus du Garom, sont arrivées. Elles sont prêtes à discuter avec toi.

— C'est bien, Egitik. Dis-lui que je me rendrai à sa demeure pour les rencontrer.

Il eût été plus conforme à la majesté romaine qu'il fît venir les Ausci dans sa tente, mais elle était beaucoup trop petite pour contenir plus d'une demi-douzaine de personnes.

Au moment où le scribe allait se retirer, Crassus lui demanda:

— Dis-moi, Egitik, où as-tu appris le latin?

— A Narbo[3], légat. Quand j'étais enfant, j'ai été enlevé par les Kelts Nitiobroges...

— Des Gaulois?

— C'est le nom que vous, Romains, donnez aux Kelts. Ils

1. Actuellement *Auch*.
2. Actuellement *Eauze*.
3. Actuellement *Narbonne*.

m'ont vendu comme esclave. J'ai eu de nombreux maîtres. Le dernier était un prêtre d'Isis qui m'a emmené à Narbo. Il m'a enseigné à lire, à écrire et m'a fait part d'un peu de sa science. Avant de mourir, il m'a affranchi et je suis rentré au pays.

— Tu ne dois pas beaucoup aimer les Gaulois, Egitik.

— Je n'aime pas les Gaulois qui nous font la guerre, légat. Les Santons et les Nitiobroges sont des braillards et des pillards, mais dans la Narbonnaise, j'ai rencontré des Gaulois d'une grande sagesse. Mon maître était un Gaulois devenu citoyen romain et c'était un bon maître.

— Tu es alors d'accord que Rome apporte la paix et la sécurité à ce pays ?

Les yeux d'Egitik se durcirent.

— La paix et la sécurité ne s'apportent pas au bout des lances et des épées, légat. Seule, la liberté vaut la peine qu'on meure pour elle.

A peine Egitik était-il sorti que Tharsos entra, suivi d'un jeune légionnaire qui se mit aussitôt au garde-à-vous et salua, la main tendue.

— *Ave*, légat. Décurion Marcus Indurus Liger à tes ordres.

— Avance, Indurus. Tharsos me dit que tu es originaire de Pompaelo ?

— Oui, légat, j'y suis né, mais j'avais à peine un an quand mes parents ont été emmenés en otages à Rome. Mon père était un des principaux magistrats d'Iruña. A Rome, il est devenu négociant et a acquis la citoyenneté.

— Tu te souviens de ton pays de naissance ?

— Non, légat, j'étais trop jeune.

— Et la langue de tes pères, tu la parles encore ?

— Oui, légat, cela, je ne l'ai pas oublié.

— Remarquable persistance, n'est-ce pas, Tharsos ? dit Crassus.

— Maître, ce n'est pas surprenant. Je suis moi-même un Illyrien. J'ai été élevé en Grèce, mais je parle toujours la langue des Arbères qui était celle de mes ancêtres.

— Dis-moi, Indurus, reprit Crassus, as-tu eu l'occasion d'entendre parler des prisonniers sosiates ?

28

— J'ai parlé avec eux, légat. Nos dialectes sont assez différents, mais nous nous comprenons très bien.

— Ce sont donc bien des Vascones, maître, dit Tharsos.

Crassus réfléchissait, les sourcils froncés.

— Dis-moi, Indurus, les Sosiates t'ont-ils parlé des autres peuples de cette région, les Vasates, les Tarusates, les Tarbelles, les Boïens?

— Ils parlent tous, à leur façon, la même langue, mais ce sont des peuples indépendants. Ils n'accepteront pas la loi romaine sans se battre.

— Nous nous battrons, mais il faut que nous soyons sûrs de nos arrières. Crois-tu qu'on puisse faire confiance à ces Ausci, Indurus?

Le décurion se redressa et une expression de fierté passa sur son visage.

— Nos peuples sont très différents des Gaulois, légat. Ils ne reviennent jamais sur la parole donnée.

Crassus se leva.

— Le tout est qu'ils la donnent. Il est temps d'aller leur parler. Viens avec nous, Indurus. Il ne sera pas mauvais que j'aie mon interprète personnel pour savoir ce qu'ils disent entre eux.

Les trois hommes montèrent lentement les marches qui conduisaient à la citadelle des Sosiates. Parvenu en haut, Crassus se retourna pour regarder à ses pieds l'impeccable alignement du camp romain. Au-delà des palissades, des fumées signalaient la présence des bivouacs qu'avaient improvisés les auxiliaires gaulois. Des sentinelles casquées et armées étaient en alerte aussi bien dans cette direction que dans celle des Sociates. Les quelque sept mille légionnaires de Crassus ne pouvaient avoir confiance qu'en eux-mêmes.

Il regarda sa tente au bout de la voie décumane. Elle paraissait toute petite devant l'imposante construction de bois sculpté qui était la demeure d'Adiatuanus. Pourtant, dans ce minuscule cube de toile, reposaient toute l'autorité et la puissance de l'empire romain.

Dans la salle où on l'introduisit, il y avait une quarantaine de personnes. Des trophées de chasse étaient accrochés aux murs de bois et des fourrures d'ours et de loup couvraient le sol en terre battue.

Adiatuanus était debout au fond de la salle, revêtu de sa cuirasse de bronze, mais sans casque. Il devait avoir une quarantaine d'années et son visage était énergique, mais son regard trahissait la vanité et un pli cupide enlaidissait sa bouche. D'un coup d'œil, Crassus reconnut à leurs vêtements de citadins les représentants d'Elimberri et d'Elusa. Aucun ne portait de braies à la gauloise et plusieurs avaient des étoffes drapées sur les épaules à la manière de la toge romaine. Les représentants des tribus de la forêt et du fleuve se reconnaissaient aux peaux de bêtes dont ils étaient vêtus. Crassus remarqua particulièrement à l'extrême droite un groupe de quatre hommes d'aspect farouche, l'un, un colosse barbu dans la force de l'âge, un autre plus vieux et deux très jeunes dont un paraissait presque un enfant. Il portait une longue épée d'acier en bandoulière sur l'épaule.

Crassus fit signe à Egitik d'avancer.

— Tu vas traduire.

Puis il se pencha vers Indurus et lui dit à l'oreille :

— Ecoute bien et avertis-moi si les paroles échangées ne sont pas exactement traduites.

Levant le bras, il se tourna vers l'assemblée.

— *Valete,* dit-il. Rome respecte les adversaires vaincus quand ils se sont battus avec courage et loyauté. Les Sosiates ont mérité ce respect. Au nom du Sénat de Rome et des Triumvirs je leur accorde donc la liberté. Adiatuanus restera leur chef et portera le titre de *rex.*

. Egitik parla assez longtemps. Adiatuanus lui répondit avec une certaine vivacité, sur un ton interrogatif. Indurus se pencha à l'oreille de Crassus.

— Le scribe lui a expliqué ce qu'était un roi et l'autre demande s'il pourra lever des impôts et battre monnaie.

Egitik posa la question des impôts, mais non celle de la monnaie.

— Il pourra lever des impôts à condition de payer le tribut à

30

Rome, dit Crassus. Pour le moment, le tribut sera de trois chariots de blé par jour pour le ravitaillement de mon armée et de cent lingots de cuivre par an.

Quand il entendit la traduction, Adiatuanus protesta. Pour le cuivre, c'était possible, mais en ce qui concernait le blé, la charge était trop lourde pour Sos. Il faudrait que les autres cités l'aident.

— Dis-lui, répondit Crassus, qu'il pourra battre monnaie d'argent et de bronze sous son sceau et que la valeur en sera garantie par Rome. Cela devrait lui permettre d'acheter le blé dont il a besoin.

Un délégué en toge leva la main.

— Parle, dit Crassus.

— Je suis Karhat, le chef de la cité d'Elusa, dit l'homme en un latin acceptable. L'autorité que tu viens d'accorder à Adiatuanus s'étend-elle à tout le peuple ausk ou seulement aux Sosiates?

Adiatuanus se faisait rapidement traduire la question par Egitik. Il lança un regard méfiant à Karhat, mais ne dit mot.

— C'est à vous de me faire connaître vos désirs, répondit Crassus. J'ai vaincu les seuls Sosiates et vous êtes venus librement négocier avec moi. Dites-moi ce que vous préférez.

Il y eut un bref conciliabule entre les représentants d'Elusa et d'Elimberri, puis Karhat se tourna vers Crassus.

— Notre peuple a l'habitude de l'indépendance, dit-il. Nous préférons que nos cités conservent leur autorité sur elles-mêmes.

— En ce cas, il faudra que vous prêtiez serment en même temps qu'Adiatuanus. Dans chacune de vos deux villes, vous élirez un sénat et vous désignerez un magistrat suprême qui portera le titre de *praetor*. En outre, vous devrez participer au tribut que j'ai exigé des Sosiates et, comme garantie de votre fidélité, me fournir un contingent de cinq cents guerriers.

Il y eut un nouveau conciliabule, puis Karhat dit:

— Nous sommes d'accord, légat.

— Il reste, reprit Crassus, les petites tribus du fleuve Garumna. Leur cas est particulier, car ce fleuve est notre frontière. Les

Gaulois Santons sont encore mal soumis. Les chefs de village garderont leur autorité, mais ils devront accepter la présence de garnisons qui me garantiront leur fidélité et les aideront à se protéger des Santons.

Quand Egitik eut traduit, Aberat leva le bras.

— Pour notre fidélité, Romain, notre parole suffira. Quant aux Santons, nous n'avons besoin de personne pour nous défendre d'eux.

— Il n'y a pas que les Santons, répondit Crassus. La Gaule chevelue est un pays sauvage qu'il est difficile de contrôler. Certaines tribus nous sont amicales, mais, avec la guerre dans le nord, on peut toujours redouter que les Eduens, les Senons, les Arvernes refluent vers votre territoire. Vous risqueriez d'être écrasés sous le nombre.

— Tu as exigé un tribut d'Adiatuan. Nous sommes trop pauvres pour en payer un.

— Aussi ne vous demanderai-je que la terre pour y installer ma garnison.

Son ton se fit plus dur.

— Mon intention n'est pas de vous spolier, mais je dois assurer la sécurité de mon flanc droit. Si je n'ai pas sur le fleuve des hommes pour organiser la première défense et m'alerter en cas d'invasion, je serai forcé d'aller occuper votre territoire avec mon armée. Cela me retardera, mais cela ne m'arrêtera pas.

On sentait Aberat furieux et prêt à relever le défi, mais Zuhur lui mit la main sur l'épaule et lui parla à l'oreille. Il se maîtrisa avec peine. Crassus s'avança vers lui, suivi d'Indurus.

— Comment t'appelles-tu ?

— Aberat, *gehien* du village de Baratz.

— Et tes compagnons ?

Tour à tour, Crassus se fit présenter Zuhur, Arkatz et Egon. Indurus traduisait.

— Tu es bien jeune pour un guerrier, dit Crassus à Egon. Quel âge as-tu ?

— Treize ans. Je suis un *mutik*. J'ai subi mon épreuve.

— Et en quoi consistait-elle ?

— A tuer un taureau.

32

— Avec cette épée?

— Oui.

— Je peux la voir?

Egon lui tendit l'épée et Crassus examina la lame en connaisseur. Il la montra à Tharsos qui s'était approché.

— *Ferri acies*, dit-il, de l'acier. J'en ai rarement vu de cette qualité.

— En effet, maître, un *khalyps* aussi pur est difficile à obtenir.

— Demande-lui qui a fait cette épée, dit Crassus à Indurus.

Ce fut Arkatz qui répondit.

— C'est notre père, le forgeron Haret.

— Il en remontrerait aux plus habiles artisans de Rome. Vous serez de précieux alliés.

Puis il se tourna vers Aberat.

— Chef, dit-il, viens me voir dans ma tente ce soir. J'ai une proposition à te faire.

Les quatre hommes de Baratz campaient à l'entrée d'une galerie de mine. Ils étaient en train de partager un frugal repas de fromage à nuit tombante quand ils virent paraître le légionnaire rom qui accompagnait Crassus dans la maison d'Adiatuan.

— Je suis le décurion Indurus, dit-il dans son parler étrange, mais à peu près compréhensible. Je suis à la fois Romain et Vasco comme vous. Je viens vous chercher de la part du légat Publius Licinius Crassus.

Grâce à la présence d'Indurus, ils passèrent sans encombre la ligne des sentinelles et pénétrèrent dans le camp romain. Egon fut saisi d'admiration quand il vit l'impeccable alignement des tentes et l'ordre qui régnait dans l'enceinte fortifiée.

Crassus les attendait dans une tente plus grande que les autres, mais austère et éclairée par une simple torche. Quand ils entrèrent, Egon et ses compagnons eurent un mouvement de recul. A côté de Crassus se tenait un Kelt de haute taille. Egon n'avait jamais vu un guerrier kelt d'aussi près. Il le reconnut à ses braies de bure, serrées en bas des jambes par une lanière, à son justaucorps de cuir, à son casque de bronze orné de cornes de bœuf et à sa longue épée passée à la ceinture. La grosse moustache tombante était brun clair, tirant sur le roux.

Percevant la surprise de ses visiteurs, Crassus leur dit :

— Ne craignez rien, Vascones. Admatus que vous voyez ici est un Gaulois, mais c'est un fidèle allié de Rome. Il appartient au peuple des Lingons qui vit très loin d'ici, au nord des Montagnes Rondes, près des sources du fleuve Sequana[1].

Il attendit qu'Indurus traduise, puis il reprit :

— Chef Aberat, voici ma proposition : tu vas retourner sur ton territoire en emmenant avec toi le contingent des Lingons qui fait partie de mon armée et la décurie commandée par Indurus. Tu leur assigneras près de ton village suffisamment de terre pour qu'ils puissent s'installer et tu jureras de les aider à défendre le passage de la Garumna.

Zuhur souffla à l'oreille d'Aberat :

— Demande-lui combien il y a de Lingons. Il ne faut pas que nous soyons envahis.

Aberat posa la question.

— Le contingent lingon, répondit Crassus, représente une cinquantaine d'hommes avec en plus, bien entendu, leurs familles et leur bétail. Les Gaulois en campagne se déplacent en emmenant toute leur tribu avec eux.

— Et qui sera le chef ? demanda Aberat.

Indurus écouta attentivement les explications de Crassus, puis se tourna vers Aberat.

— Le légat dit que tu seras le *gehien* des Vascons et qu'Admatus sera le *vergobret* des Lingons. Si vous avez un conflit, c'est moi qui arbitrerai en tant que représentant de Rome. Le légat me nommera *praefectus*. Il demande si tu es d'accord.

De nouveau, Aberat et Zuhur conférèrent à voix basse.

— Le Gaulois, demanda enfin Aberat, n'aura autorité que sur le territoire qui lui sera assigné ?

Crassus acquiesça.

— Alors, je suis d'accord.

— Jures-tu sur tous les dieux de respecter cet accord ?

— Je le jure sur mon dieu Jaongoïkoa.

— Bien, dit Crassus. Vous allez suivre tous les quatre Admatus jusqu'à son campement. Indurus viendra vous chercher

---

1. Actuellement la *Seine*.

34

demain avec ses dix hommes et vous pourrez immédiatement vous mettre en route.

Le campement des Lingons était situé dans une clairière à quelque deux cents pas du *vallum* du camp romain. Par comparaison avec l'alignement rigoureux des tentes, Egon fut frappé par le désordre et la saleté. Six gros chariots bâchés solidement construits étaient épars dans la clairière. Ils semblaient servir d'habitations. Une marmaille pullulante jouait parmi les cochons, les vaches et les poules dans un enclos fangeux entouré d'une barrière improvisée de branches mortes. A côté de l'enclos, des femmes faisaient la cuisine devant des braseros grossiers. Deux grands Gaulois moustachus taillaient un tronc à la hache. Les autres guerriers étaient assis par terre autour d'un grand brasier, buvant dans des cornes de bœuf et discutant bruyamment.

D'après les rares mots qu'ils avaient échangés avec Admatus, les hommes de Baratz s'étaient aperçus que bien que le kelt des Lingons différât considérablement de celui des Sennates auquel ils étaient habitués, ils arrivaient à comprendre et à se faire comprendre.

Quand Admatus parut avec ses compagnons, le silence se fit. Le chef prit la parole et Egon comprit qu'il expliquait à ses hommes l'arrangement conclu avec Crassus. La plupart des Gaulois accueillirent ses paroles avec des grognements approbatifs. L'un d'eux, au visage bonasse, tendit même à Egon une corne pleine. Au goût à la fois sucré et âcre, Egon reconnut l'hydromel dont il avait parfois goûté dans les villages sennates.

Seuls, de l'autre côté du feu, une dizaine de guerriers paraissaient hostiles. L'un d'entre eux, torse nu et un manteau de laine agrafé sur l'épaule par une fibule, semblait à peine plus âgé qu'Arkatz. Il était plus brun que les autres et sa moustache commençait à épaissir sur sa lèvre tordue par un rictus méchant. Ses yeux vert sombre fixaient les nouveaux venus d'un regard hautain.

Une silhouette se détacha de l'ombre, vêtue d'une longue robe blanche. C'était un vieillard au crâne étroit et aux sourcils grisonnants. Il s'adressa à Admatus.

— Que t'a dit le chef romain?

— Salut, Dunmac. Crassus a dit que nous devions aller nous installer sur la rive du grand fleuve avec une escorte de dix légionnaires.

— Qui sont ceux-là?

— Des Vascons. C'est chez eux que nous allons.

— Des barbares, grommela Dunmac avec mépris. Et qui Crassus croit-il qu'il est pour nous dire où nous devons nous installer?

— Il est notre allié, Dunmac. Nous avons juré la paix avec César.

— Mais le reste de la Gaule s'insurge contre les Romains. Les Lingons sont-ils des femmes?

— Ils sont des hommes, Dunmac, et, comme tels, ils respectent la foi jurée.

Sans répondre, le vieillard s'avança vers Aberat et ses compagnons, les toisant d'un regard froid.

— C'est un druide, souffla Zuhur aux autres, c'est-à-dire un prêtre. Je vais essayer de lui parler.

S'efforçant de s'exprimer lentement, il dit en kelt:

— Salut, druide, je suis Zuhur, prêtre du dieu Jaongoïkoa.

— Un prêtre, toi? Et que sais-tu de la religion?

— Ce que m'en ont appris mes ancêtres, comme toi, sans doute.

— Alors ce ne doit pas être grand chose. Quels ancêtres peut avoir un barbare ignorant?

Dédaigneux, le druide fit demi-tour et s'enfonça dans l'ombre.

Un moment plus tard, des femmes survinrent, apportant de la nourriture. C'étaient des plats de porc rôti et des écuelles de bouillie de mil.

Egon allait saisir un morceau de viande quand ses yeux se levèrent vers celle qui lui tendait le plat et sa main s'arrêta. Il était ébloui par tant de beauté étrange: un visage clair aux lèvres pleines, auréolé d'une chevelure d'or que retenaient deux tresses tombant symétriquement sur les épaules de la robe de laine blanche et surtout deux grands yeux couleur de ciel qui le regardaient curieusement. Longtemps, il resta bouche-bée comme s'il avait rencontré une de ces fées dont parlait la vieille Amagoïa dans ses histoires.

— Prends un morceau, lui dit Admatus. Tu n'a pas faim?

— Qui est-elle? demanda Egon.

— Celle qui porte le plateau? C'est ma troisième fille, Beatha.

Machinalement, Egon se servit, mais c'est à peine s'il toucha à la nourriture. Il regarda la jeune fille s'éloigner dans la clairière, mince et souple comme une branche de saule.

L'idée que les Lingons allaient s'établir près de Baratz lui parut soudain merveilleuse et, cette nuit-là, il dormit d'un sommeil heureux qu'éclairait la lumière des yeux de Beatha.

LA PATROUILLE

L A COLONNE prit le chemin direct à travers la forêt. Sa force était suffisante pour qu'elle ne fût pas inquiétée si elle rencontrait un parti de guerriers kelts ou vasates. Elle s'étirait le long du sentier sur près d'un demi-mille. Indurus marchait en tête avec cinq légionnaires et les quatre Vascons qui servaient de guides. Les Gaulois, de part et d'autre des chariots, servaient de flanc-gardes. Les cinq légionnaires restants formaient l'arrière-garde.

Plusieurs fois, Indurus envoya Egon porter des messages à Admatus qui était à bord du dernier chariot. Chaque fois, Egon essayait de glisser un œil sous la bâche pour tenter d'apercevoir Beatha, mais, dans l'entassement de bétail, de caisses et de sacs, c'est à peine s'il pouvait distinguer les formes des femmes serrées les unes contre les autres dans la pénombre.

C'est au bivouac du soir seulement qu'il la vit. Accroupie devant le feu, elle faisait cuire des galettes de mil. Comme il essayait de s'approcher, il fut brutalement chassé par un guerrier lingon. C'était un des compagnons du jeune Gaulois au regard hostile qu'il avait remarqué le premier soir derrière le brasier. Il connaissait maintenant son nom : Diviac. C'était le fils de l'ancien *vergobret* qui avait été tué dans une bataille contre les Romains et auquel Admatus avait succédé. Il était le meneur d'un petit clan d'irréductibles qui n'avaient jamais accepté l'alliance romaine. Visiblement, le druide Dunmac les encourageait dans cette attitude, car on le voyait souvent discuter avec eux à l'écart du cercle des autres guerriers. Son hostilité envers les Vascons n'avait pas désarmé. Il faisait comme s'il ne les voyait pas.

Le troisième jour, à l'aube, Aberat envoya Egon et Arkatz en éclaireurs pour annoncer l'arrivée du convoi au village. Ils y arrivèrent vers midi. La première personne qu'ils rencontrèrent fut Ezti. Elle courut vers eux et les embrassa tous deux sur les joues. Arkatz s'arrangea pour prolonger le baiser.

— Vous voilà enfin! dit-elle. Je me demandais si les filles de Sos ne vous avaient pas gardés! Sont-elles jolies, au moins?

— Je ne saurais te dire, Ezti, répondit Arkatz. Je ne les ai pas regardées. Je ne pensais qu'à toi!

— Et toi, Egon? Tu n'en as même pas ramené une?

— Nous ne ramenons pas de filles sosiates, mais des filles kelts, nous en avons de pleins chariots!

— Des Kelts? Ce sont des captives?

— Non, non, il paraît que ce sont de bons Kelts. Il y a les hommes aussi. Ils vont s'installer ici.

— Ici? Où ça?

— Les Anciens décideront, mais il faut que nous allions voir notre père pour qu'il leur prépare un terrain où camper.

On entendait le tintement du marteau d'Haret sur l'enclume. Ils le trouvèrent au moment où il achevait de marteler un fer de pioche. Il essuya ses mains sur son tablier de cuir.

— Quoi de nouveau, *mutilak*? demanda-t-il.

— Père, répondit Arkatz, le chef Aberat nous envoie en avant pour dire qu'Adiatuan a juré l'alliance avec Rome et que les représentants d'Elimberri et d'Elusa ont fait de même. De son côté, il a conclu un accord avec le chef rom. Dix soldats roms et un contingent de Kelts amis des Roms viennent s'installer ici. Ils arriveront à la fin de la journée.

— Des Kelts? Combien sont-ils?

— Une cinquantaine de guerriers et à peu près autant de femmes et d'enfants, sans compter le bétail. Ils ont six gros chariots.

Haret fronça les sourcils, puis dit:

— Je suppose qu'Aberat sait ce qu'il fait. Va chercher Estancon. Qu'il sonne la corne pour rassembler le conseil. Ensuite, vous prendrez quelques jeunes gens avec vous et vous irez débarrasser le pré qui est de l'autre côté du ruisseau, des

40

souches qui l'encombrent. Les Kelts pourront s'installer là. Mieux vaut mettre de l'eau entre eux et nous.

Quand le convoi arriva en fin d'après-midi, tout était prêt. Indurus considéra le site d'un air connaisseur.

— Nous placerons le campement des légionnaires sur le rocher qui domine l'embouchure du ruisseau, dit-il à Haret. Où pensez-vous mettre les Gaulois ?

Surpris d'entendre un Rom parler sa langue de manière à peu près intelligible, Haret indiqua le pré qu'il avait fait dégager. Indurus se tourna vers Admatus et lui demanda en latin :

— Cela te convient-il ?

— C'est un peu humide, répondit Admatus, mais pour un premier campement, ça ira.

Les chariots passèrent le ruisseau à gué et leur déchargement commença aussitôt. Toute la population de Baratz était rangée sur l'autre rive, ouvrant de grands yeux en regardant ces hommes et ces femmes plus roux et plus blonds encore que les Santons, en train de s'installer en désordre au milieu des cris des enfants et des meuglements, grognements et caquètements du bétail et de la volaille.

Déjà, les légionnaires d'Indurus avaient pris possession du rocher et commençaient à creuser un fossé et à dresser un *vallum* autour du terrain qui leur servirait de cantonnement. La rapidité, l'efficacité et la discipline de leurs gestes n'étaient pas un moindre sujet d'étonnement. Ils étaient tous habillés de la même façon : sandales haut lacées sur le mollet, jupette de cuir brun, cuirasse brillante. La plupart portaient leur casque accroché à la ceinture par l'anneau qui le surmontait. Les grands boucliers frappés de l'emblème de la foudre et les longs javelots étaient entassés en une pyramide bien nette à portée de main. Il émanait d'eux un extraordinaire sentiment de sécurité et de force.

Cette nuit-là, Aberat fit poster des sentinelles tout le long du ruisseau. Longuement, à la lueur des torches, on discuta devant les maisons. Rares étaient ceux qui désapprouvaient la décision du chef. Ce qui inquiétait le plus, c'était le voisinage des Kelts. Ils étaient très différents des Sennates d'aval qui, installés depuis plusieurs générations, s'étaient métissés et finissait par ressembler aux Gizons.

— Moi, je les trouve laids, avec leurs cheveux filasse, déclara une fille dans le groupe réuni devant la maison d'Haret.

Arima qui était accroupie entre ses deux fils, sourit et dit:

— Mais, telle que je te connais, je gage qu'avant longtemps tu souhaiteras qu'ils te trouvent jolie!

— D'ailleurs, certaines de leurs femmes sont très belles, dit Arkatz. Demande plutôt à Egon.

L'adolescent baissa le nez, confus.

— Tu dis des bêtises.

— Crois-tu que je n'aie pas remarqué ton manège autour de la fille du chef kelt? continua Arkatz en riant. Il aurait fallu être aveugle. Comment s'appelle-t-elle?

— Beatha, murmura Egon. Et le seul fait de prononcer ce nom le fit rougir.

Le lendemain, le désordre paraissait aussi grand dans le campement des Kelts. Les femmes de Baratz qui lavaient leur linge dans le ruisseau, jetaient des regards curieux vers les nouveaux venus. Apparemment, les femmes kelts n'étaient guère de grandes adeptes de la lessive.

Tant bien que mal, l'installation continua pendant les jours qui suivirent. Les légionnaires avaient dressé une palissade à l'intérieur de leur *vallum* et, dans le camp minuscule, les dix tentes étaient proprement alignées de part et d'autre d'une courte voie décumane à un bout de laquelle se trouvait la tente d'Indurus et à l'autre bout une pierre taillée qui, déclara le décurion, serait l'autel de Jupiter Capitolin.

Le premier incident se produisit le troisième jour quand une vache et deux porcs du campements gaulois s'échappèrent de l'enclos et allèrent fourrager dans un champ qui appartenait à un habitant de Baratz particulièrement irascible. Le propriétaire parut aussitôt, brandissant un épieu, et se mit à chasser les bêtes. Quelques instants plus tard, deux Kelts en armes franchirent de ruisseau et l'attaquèrent. Le Vascon, robuste quinquagénaire, était de première force au bâton et se défendit avec vigueur. Frappé de plein fouet, le casque d'un des Gaulois alla rouler dans la poussière. L'autre guerrier qui se trouvait être Diviac, fonça, l'épée haute. C'est lors qu'alertés par les cris des femmes, deux légionnaires intervinrent. Non sans mal, ils parvinrent à maîtriser Diviac et conduisirent les adversaires devant Indurus qui convoqua aussitôt Aberat et Admatus.

— Qu'y a-t-il dans ton champ? demanda-t-il au Vascon.

— Du blé.

— La moisson est passée depuis longtemps. Les animaux ne pouvaient pas faire grand mal.

— Il restait des épis à glaner du regain d'automne.

Indurus se tourna vers Admatus.

— Chasser deux ou trois bêtes de sa terre n'est pas un crime. Tu diras à tes femmes de mieux garder leur bétail et à tes hommes d'être plus patients, surtout celui-là.

Il montrait Diviac du doigt. Fièrement, le jeune Kelt soutint son regard. Sans paraître y prêter attention, Indurus renvoya les adversaires chacun de son côté, mais fit signe aux chefs de rester. Il s'adressa à l'un et à l'autre, tour à tour en vascon et en latin :

— Nous sommes ici pour assez longtemps. Il serait souhaitable que les gens d'Admatus s'occupent de construire des habitations plus solides, car l'hiver va venir. D'autre part, l'embouchure de ce ruisseau est très vulnérable. Nous allons la fortifier. Chacun de vous désignera des équipes de travailleurs et mes légionnaires les aideront.

Dès le lendemain matin, Egon fut de la première équipe. Il s'agissait de fabriquer des gabions de branches emplis de terre pour constituer une sorte de rempart le long de la berge. Egon fut frappé par l'habileté et l'ingéniosité des Gaulois. Leurs outils étaient plus perfectionnés que ceux des gens de Baratz. Ils savaient installer des grues, des leviers, des palans. Cinq légionnaires romains dirigeaient les travaux et mettaient la main à la pâte.

Egon essaya d'engager la conversation avec un d'entre eux, mais il ne connaissait pas le latin et la prononciation lui en paraissait difficile. Le légionnaire, un vétéran au visage couturé, semblait avoir une grande habitude de ce genre de situation où il lui fallait communiquer avec des barbares qui ne comprenaient pas sa langue.

— *Lignum*, dit-il en montrant un morceau de bois à Egon.

— *Lenho*, s'efforça de répéter le garçon.

Le Romain toucha le fer de sa hache.

— *Ferrum*.

— *Herro*, répéta Egon.

A la fin de la journée, il connaissait une vingtaine de mots latins plus ou moins déformés. Il s'amusa à les réciter à Arkatz.

— Crois-tu qu'ils te comprendraient? demanda ce dernier.

— Je peux toujours essayer.

Il essaya tant et si bien qu'au bout de quelques jours, il arrivait à échanger de vagues conversations avec le légionnaire. Il savait que son nom était Marcus Antonianus Faber. Egon l'appelait Haber.

Les fortifications étaient presque achevées et les Lingons s'attaquaient à la construction d'habitations plus confortables et plus permanentes que leurs chariots. Leur technique était très différente de celle des Vascons. Ces derniers construisaient d'abord un cadre léger de bois, puis dressaient les murs avec des torches de paille sur laquelle ils bourraient une forte épaisseur d'adobe de terre renforcée par de gros parpaings d'alios ramené du Grand Marécage. Les Gaulois, au contraire, apportaient tous leur soins au bâti de gros madriers ingénieusement assemblés et chevillés et fixaient dessus des planches sciées de long. Les uns et les autres faisaient le toit en chaume, mais, alors que les Vascons préféraient la brande du sous-bois, les Gaulois profitaient des dernières poussées de l'arrière-saison pour faucher de hautes herbes qu'ils fanaient et liaient en gerbes épaisses, ce qui donnait l'impression que leurs maisons étaient moustachues comme eux.

C'est seulement le quinzième jour qu'Egon réussit à rencontrer Beatha. Elle venait chercher de l'eau au ruisseau alors qu'il était en train de travailler à la construction d'une passerelle de bois sous la direction d'Haber. Il la vit de l'autre côté du ruisseau, à quelques pas de lui. Son cœur battit plus vite.

— Bonjour, lui dit-il en kelt. Tu aimes ton nouveau village, Beatha?

Elle lui sourit lumineusement.

— Beaucoup, dit-elle. C'est un beau pays que le tien.

C'était la première fois qu'il entendait sa voix. Elle était grave et un peu rauque.

— C'est aussi ton pays, maintenant.

Déjà, elle mettait la cruche sur la tête et repartait.

— J'espère que nous nous reverrons! lui cria-t-il.

Haber cligna de l'œil.

— *Cupidinem...*, dit-il.

— Que dis-tu?

Se mettant les mains sur le cœur, le légionnaire prit des airs langoureux.

— *Amorem...*, dit-il en montrant du doigt la fille qui s'éloignait.

— *Amoria*, répéta Egon. Beatha *amoria...*

Il comprenait exactement ce qu'Haber voulait dire.

Les feuilles commençaient à jaunir et à tomber quand Haret, un matin, dit à ses fils:

— Allez voir Indurus. Il a besoin de vous.

Le décurion les attendait dans sa tente. Il y avait là Haber et deux Gaulois: un guerrier d'un certain âge et Diviac.

— Avant que nous quittions Sos, dit-il, le légat m'a ordonné de maintenir les liaisons avec lui. De Sos, il devait se diriger vers une cité qu'on appelle, dit-on, Tarbellitako Ituri. Il semble qu'à peu de distance d'Elusa, il y ait une rivière qui y mène. C'est donc par là qu'il doit faire passer le ravitaillement. Vous allez partir en patrouille sous le commandement du légionnaire Faber. Il y aura deux Vascons, Arkatz et Egon et deux Gaulois, Idomar et Diviac. Si mes renseignements sont exacts, vous devriez trouver la rivière à trois ou quatre jours de marche vers le sud. Il vous suffira alors de suivre la trace de l'armée. Afin d'éviter le Grand Marécage, vous devrez traverser le territoire des Vasates. Soyez prudents: ils n'ont pas encore fait leur soumission.

Ils partirent à l'aube. Egon eut un pincement au cœur quand, de loin, il vit Diviac aller prendre congé de Beatha. Il n'y avait pas à se tromper sur ses sentiments pour elle à voir les regards qu'il lui lançait. Egon avait là un rival d'autant plus redoutable qu'il lui était naturellement hostile.

Haber portait sur le dos l'équipement complet d'un légionnaire en campagne, ce qui, calcula Egon, devait représenter le poids d'un mouton de bonne taille. Les deux Gaulois également étaient chargés. Par contre, les deux Vascons n'emportaient qu'une petite outre d'eau et un sac de cuir contenant quelques provisions. Egon avait son épée accrochée dans le dos et son couteau à la ceinture.

Ils bivouaquèrent le premier soir dans la forêt au pied d'un grand chêne sans avoir rencontré de Vasates au cours de cette première journée. Ils prirent un repas frugal sans allumer de feu. Haber distribua des morceaux d'un saucisson qu'il appelait *lucanica*, puis ils s'installèrent pour la nuit. Arkatz et Idomar prirent le premier tour de garde. Egon dormait profondément quand Arkatz le réveilla pour prendre le second tour avec Diviac.

La pleine lune filtrait à travers les branches. Ils se postèrent chacun dans l'ombre d'un arbre à une dizaine de pas du chêne au pied duquel dormaient leurs compagnons.

La lune commençait à décliner et l'obscurité se faisait plus épaisse quand Egon fut alerté par un craquement de branche. Pour mieux voir, il s'écarta imprudemment du tronc de l'arbre qui l'abritait. Soudain, il fut saisi à bras le corps par derrière et une main vigoureuse se plaqua sur sa bouche. En même temps, un homme l'attaquait par devant, un épieu levé. Il n'en distinguait que la silhouette. Par un violent effort de reins, il réussit à déséquilibrer l'homme qui le ceinturait suffisamment pour éviter la pointe de fer. Celui qui portait le coup, entraîné par son élan, s'étala à côté de lui. Toujours immobilisé, Egon retrouvait ses esprits. Il songeait au taureau qu'il lui avait fallu vaincre pour son initiation. Son adversaire était beaucoup plus vigoureux que lui, mais ce que la force ne pouvait faire, l'habileté pouvait l'accomplir. Comme l'autre renforçait sa prise et semblait vouloir se mettre à croupetons sur son dos, il boula soudain en avant, envoyant l'homme rouler devant lui. Les deux adversaires se remirent aussitôt debout. Sortant son couteau, Egon le poussa à l'aveuglette en avant. Il entendit un ahanement. Sans attendre, il se retourna en criant :

— Diviac !

L'épée au point, Egon faisait face à l'homme à l'épieu qui chargeait de nouveau. Il para le premier coup et, au moment où il faisait un bond sur le côté pour éviter le second, il entendit le remue-ménage de ses compagnons qui s'éveillaient.

— *Quis homo ?* cria la voix d'Haber.

Diviac n'intervenait pas, mais les cris durent détourner un instant l'attention de l'assaillant, car son troisième assaut manqua de plus d'un pied Egon qui en profita pour lancer en avant son épée de la pointe. Il la sentit qui pénétrait profondément le corps de son adversaire.

Plus rien ne bougeant, Egon se tourna vers ses compagnons. Diviac avança d'un pas, se montrant dans une tache de clair de lune. Ses yeux étaient fixés sur Egon, mais on ne pouvait distinguer son regard dans l'ombre. Il tenait sa longue épée gauloise à la main.

— Tu t'es bien battu, barbare, dit-il. Je n'ai pas eu besoin d'intervenir.

Egon faillit lui répondre que, seul contre deux, il avait toutes chances d'être tué, mais déjà Haber s'affairait autour des deux corps étendus.

Un des hommes était mort et l'autre ne valait guère mieux. Haber lui enfonça son *gladius* dans la gorge. Arkatz qui s'était approché, dit :

— Ce sont des Vasates.

Haber, en mauvais kelt, faisait comprendre qu'il fallait lever le camp et s'éloigner le plus possible avant le lever du jour.

A l'aube, ils franchirent à gué une petite rivière qui coulait vers le nord-est. Ce n'était donc certainement pas celle dont avait parlé Indurus et qui devait se trouver beaucoup plus loin du sud.

Ensuite, le terrain devint marécageux et moins boisé, ce qui ralentit à la fois à cause de la difficulté de la marche et par la nécessité de trouver des défilements permettant d'échapper à la vue des guetteurs éventuels. Haber fit obliquer la patrouille vers le sud de manière à éviter le Grand Marécage en bordure duquel ils devaient se trouver.

C'est le quatrième jour, vers midi que, derrière un rideau de saules, ils tombèrent sur une rivière qui se dirigeait vers l'ouest. Elle n'était pas très large, un cinquième à peine du Garom. Haber se mit tout de suite en quête de traces de passage de troupes. Il n'eut pas longtemps à chercher. En bordure de la rivière, sur quarante pieds de large, le sol était piétiné en une sorte de sentier bourbeux où l'on distinguait même les ornières laissées par les chariots.

Comme pour confirmer cette indication, un radeau apparut soudain au coude de la rivière. Il était chargé de sacs et de couffins. Arc-boutés à une grande rame fixée à l'arrière, deux Gaulois le maintenaient dans l'axe du courant.

— *Commeatus*, du ravitaillement, dit Haber. Crassus est par là.

Il héla les deux légionnaires qui constituaient l'escorte du radeau et échangea quelques mots avec eux.

— *Pronus amnis,* en aval, dit-il en faisant signe à ses compagnons de se mettre en route.

Ils marchèrent toute la journée et campèrent le soir près d'un confluent, à quelque distance d'une grosse agglomération dont, par prudence, ils ne s'approchèrent pas. Toute la nuit, Egon entendit les aboiements des chiens. Se remettant en marche à l'aube, ils firent un grand détour pour éviter la cité. Dans la matinée, ils retrouvèrent la rivière, devenue plus large. Ils longèrent la berge, se tenant à l'abri des aubiers. C'est là qu'ils tombèrent sur un vieillard qui gardait des oies. Sur un geste d'Haber, Arkatz se dirigea vers lui.

— *Zerat Tarbellitako Ituri?* demanda-t-il en dialecte de Baratz.

Roulant des yeux épouvantés, le vieillard eut l'air de comprendre, car il montra le bas de la rivière. Haber hocha la tête. Quand Idomar leva son épée pour tuer le bonhomme, il l'arrêta du geste.

C'est vers midi que, dans une plaine dominée par un plateau, ils rencontrèrent les premiers cadavres, cadavres de chevaux, puis cadavres d'hommes. On s'était battu là. Il y avait des

Gaulois et des Vascons, mais pas de Romains. La légion avait l'habitude de relever ses morts pour leur donner une sépulture honorable. Cela laissait supposer que les Romains avaient été victorieux. D'après l'état des carcasses et la puanteur, la bataille devait avoir eu lieu trois ou quatre jours plus tôt.

L'après-midi s'achevait quand ils entendirent une sonnerie de trompettes.

— *Tubicen!* s'écria Haber. *Adsunt commilitones!* les camarades sont là!

Une sentinelle les arrêta au détour d'un sentier. Haber déclina son identité et le légionnaire appela son décurion. L'un et l'autre avaient l'air épuisé et hagard de gens qui viennent de sortir d'un cauchemar.

— Tu viens de la part d'Indurus? dit le décurion. Vous avez la chance d'être restés là-bas. Ici, ça a été l'enfer. Nous avons gagné, mais il a fallu nous battre à un contre dix. Les Gaulois ne sont rien à côté de ces Vascons!

Il les conduisit à travers l'immense camp jusqu'à la tente du légat. Dans un coin, près du *cardo maximus* étaient parquées plusieurs centaines d'hommes et de femmes, visiblement des Vascons.

— Qui sont ces gens-là? demanda Haber.

— Ce sont des otages. Tous les peuples de la région en ont envoyés et nous en attendons d'autres.

A proximité de la tente de Crassus, ils furent reçus par Tharsos.

— Vous venez de la Garumna? dit-il. Comment cela se passe-t-il là bas?

— Bien, tout est calme, répondit Haber.

— Tout va l'être ici maintenant, dit Tharsos. Les Tarbelles, les Bigerrions, les Cocosates, les Tarusates, les Vasates ont fait leur soumission. Mais il s'en est fallu de peu qu'ils nous battent. Ils avaient réuni une armée de plus de quatre-vingt mille hommes et fait venir d'Hispanie d'anciens lieutenant de ce Sertorius qui a mené la guerre contre Pompée il y a vingt ans. J'ai vu le moment où nous allions être obligés de battre en retraite. Ces Vascons sont rompus aux tactiques de guérilla. Ils refusaient le combat en rase campagne et harcelaient nos lignes de ravitaillement. Il a fallu que Crassus attaque leur camp de front, sur un coup de dés.

Tout en parlant, Tharsos conduisait Haber et ses compagnons jusqu'à la tente.

— Des messagers de la Garumna pour toi, maître annonça-t-il en entrant.

Bras tendu, Haber se présenta :

— Légionnaire Marcus Antonianus Faber, légat. Je suis envoyé par le décurion Marcus Indurus Liger. *Ave*.

Crassus leva vers lui des yeux creusés de fatigue.

— *Ave, Antoniane*. Qui sont tes compagnons ? Je reconnais là deux Lingons et ceux-ci sont des Vascons, je suppose ?... Eh, mais oui ! je me rappelle ce jeune garçon qui possède une si belle épée !

— Il sait s'en servir, légat.

— Oui ? Eh bien, j'espère qu'il la mettra désormais au service de Rome. Ma tâche est achevée ici. Tous les peuples d'Aquitania ont fait leur soumission, à part quelques tribus isolées dans la montagne, et les Vascons ne sont pas commes les Gaulois : on peut se fier à leur parole. Le gros des troupes va repartir prendre ses quartiers d'hiver en Narbonnaise. Je vais laisser une garnison ici, à... comment dis-tu que le nom de cette cité se traduit en latin, Tharsos ?

— Aquae Tarbellicae[1], maître. Ce sont des fontaines d'eau chaude.

— Il faudra que j'aille voir cela avant de repartir. On pourra y installer des thermes. Je vais envoyer une garnison à Lapurdum[2] sur l'Océan et une autre à Burdigala, chez les Bituriges Vivisques. Cela devait suffire à établir une route le long de la mer entre l'Hispanie et la Garumna. Pour l'est, je vais laisser un manipule à Iluro[3] qui est au pied des montagnes et je vais renforcer la garnison de la Garumna. Antonianus, dès que vous

---

1. Actuellement *Dax*.
2. Actuellement *Bayonne*.
3. Actuellement *Oloron Sainte Marie*.

serez reposés, vous repartirez avec une centurie de légionnaires dont tu prendras le commandement pendant le trajet de retour. Je te nomme décurion. Quant à Indurus, je vais rédiger des ordres le nommant centurion et commandant de la garnison de la Garumna. Explique-lui bien qu'il aura un rôle important face aux Gaulois Santons. La rivalité des patriciens, des chefs militaires et des druides entretient chez les Gaulois une insécurité constante. Nous pouvons tout craindre de leur perfidie. Indurus devra se tenir prêt à obéir à tous les ordres de César, mais aussi à prendre des initiatives. Afin de le conseiller j'envoie avec vous mon affranchi Tharsos qui m'a toujours été d'un précieux conseil. Pour le remplacer, j'ai fait venir de Sos le scribe Egitik qui était au service d'Adiatuanus. *Ave*, décurion, que tous les dieux de Rome te gardent, toi et tes compagnons.

Egon et Arkatz passèrent la nuit dans la tente de Tharsos. Le vieil homme était curieux de connaître les mœurs des Vascons qui, disait-il, n'étaient pas sans lui rappeler celles des Arbères, ses ancêtres.

Le surlendemain à l'aube, la centurie se mit en marche sous une pluie fine et froide. Elle suivit à peu près le même chemin que la patrouille à l'aller, mais, en remontant vers le nord, elle coupa droit à travers le territoire des Vasates. Tous les mille pas, des légionnaires plantaient une borne afin de repérer le tracé de ce qui serait plus tard une voie carrossable.

La veille du retour, une délégation vasate se montra. La nouvelle de l'alliance avec Rome était arrivée. Il y eut un échange de cadeaux entre Haber et le chef vasate. Un bœuf fut sacrifié en l'honneur de Jaongoïka et de Jupiter Capitolin. Il ne fut pas question de l'embuscade ni des deux guerriers vasates qui y avaient trouvé la mort.

C'est sous un ciel gris que, passée la dernière colline, Egon retrouva le cours puissant et tranquille du Garom. Au village, régnait une agitation inhabituelle. Un raid de Santons avait eu lieu l'avant-dernière nuit. Grâce à l'aide des légionnaires d'Indurus, les Lingons et les guerriers de Baratz l'avaient facilement repoussé, mais il fallait se tenir sur ses gardes. A peine eut-il pris connaissance des instructions de Crassus qu'Indurus donna l'ordre à ses sapeurs, les *munitores*, de construire une puissante fortification englobant à la fois le nouveau camp romain de cent tentes, le village de Baratz et l'établissement lingon.

ALINGO

L'HIVER FUT rude et, au mois d'Otsailla que les Romains appelaient Februarius, la Garumna charria des glaçons. Couverts de peaux de bêtes, c'était l'époque où, traditionnellement, les chasseurs partaient en forêt traquer la biche et le sanglier rendus moins prudents par le manque de nourriture.

Egon participa à plusieurs de ces expéditions avec Arkatz, parfois accompagné d'Ezti qui, comme toutes les femmes vasconnes, ne reculait pas devant l'usage de l'arc et de l'épieu. Parfois, ils partaient à cheval, montant à cru, et s'enfonçaient en territoire vasate, maintenant pacifié. Par prudence, Indurus exigeait alors qu'ils fussent accompagnés par deux ou trois légionnaires. Les Romains étaient moins bons cavaliers que les Vascons. Leurs chevaux, plus lourds et pesamment harnachés, étaient moins rapides, mais plus endurants.

Plusieurs fois, ils rencontrèrent des groupes de Gaulois lingons qui chassaient aussi. En général, cela se terminait par un bivouac où les chasseurs réunis autour d'un grand feu, mangeaient de la venaison fraîchement tuée.

Un jour qu'Egon, suivant la trace d'une biche blessée, s'était un peu écarté, une flèche vint soudain se ficher dans un tronc à quelques pouces de sa poitrine. Aussitôt, il tira son épée, cabra son cheval et fonça vers le lieu d'où semblait venir l'agression. A une centaine de pas, il découvrit un groupe de trois Lingons, dont Diviac et Idomar. Diviac tenait encore son arc à la main et Idomar semblait se disputer avec lui.

Quand Idomar vit Egon apparaître, il lui parla vivement en

53

kelt lingon. Egon comprit qu'il lui demandait d'excuser la méprise de son jeune camarade qui avait cru apercevoir une biche entre les arbres et avait décoché sa flèche sans réfléchir.

Mais plus tard, en rentrant au village, comme ils chevauchaient côte à côte sur les feuilles mortes crissantes de gel, il lui dit :

— Méfie-toi de Diviac. Il te hait.

— Pourquoi ? Il n'aime pas les Romains, mais je ne suis pas romain.

— Il te hait à cause de Beatha.

— Beatha ? Je lui ai à peine parlé.

— Oui, mais elle a parlé de toi à son père Admatus.

— Que lui a-t-elle dit ?

Idomar fit un geste vague.

— Trop difficile à expliquer.

Dès son retour au village, Egon alla demander conseil à Tharsos. Le vieil affranchi s'était installé dans une cabane construite par les légionnaires tout au bout du camp. Egon s'était lié d'amitié avec lui. Tharsos lui apprenait le latin, perfectionnant l'enseignement rudimentaire d'Haber. La présence de plus de cent légionnaires romains entre Baratz et l'établissement lingon avait d'ailleurs fait d'une sorte de latin déformé la langue commune des Gaulois et des Vascons quand ils avaient à parler les uns avec les autres. Curieusement, les Gaulois, depuis longtemps en contact avec les Romains, paraissaient n'avoir aucune peine à abandonner leur parler maternel pour adopter celui de leurs conquérants et alliés. Par contre, les Vascons avaient le plus grand mal à s'adapter à la prononciation d'une langue où abondaient les F et les V. Ils remplaçaient les premiers par des H du fond de la gorge et les seconds par des B. C'était une des plaisanteries favorites d'Haber de dire que pour un Vascon *vivere*, vivre, se prononçait comme *bibere*, boire.

Les légionnaires avaient baptisé le village gaulois du nom du peuple qui l'habitait. Ils l'appelaint Lingo, mais les Vascons qui éprouvaient des difficultés à commencer un mot par un R ou un L, en faisaient Alingo. C'est en fin de compte le nom que tout le monde en était venu à adopter.

Tharsos écouta attentivement Egon lui raconter l'incident de la flèche perdue.

— Il est évident que Diviac a essayé de te tuer, dit-il en hochant la tête.

— Maintenant que j'y songe, dit Egon, ce n'est pas la première fois.

Il rapporta l'affaire de la patrouille et l'étrange inactivité de Diviac quand Egon avait été surpris par l'attaque des guerriers vasates.

— Je connais Diviac, dit Tharsos. Indurus aussi, et il le tient à l'œil. Lui et ses compagnons sont de ces Gaulois qui ont du mal à accepter la conquête romaine. On peut se méfier d'eux mais, entre nous, on ne peut pas le leur reprocher.

— Je ne leur reproche pas, répondit Egon, mais pourquoi Diviac s'en prend-il à moi?

— Tu n'en as pas une idée?

— Idomar dit que c'est à cause de Beatha.

— La troisième fille du *vergobret* Admatus? Tu la connais?

— Oui, je l'ai rencontrée quelquefois.

— Et je suppose que tu es amoureux d'elle?

Egon sourit gauchement, embarrassé.

— Oui, je suppose.

— Et elle?

— Idomar dit qu'elle a parlé de moi à son père. Je veux l'épouser.

Tharsos éclata de rire.

— Tu vas à peine avoir quatorze ans et elle aussi. C'est un peu tôt pour penser au mariage. Mais Diviac qui a quatre ans de plus que toi y pense peut-être sérieusement. D'après ce que je sais des mœurs des Gaulois, une fille de quatorze ans peut-être mariée, mais pour un garçon, il faut attendre plus longtemps.

— Chez nous, on est un *mutik* dès qu'on a passé l'épreuve.

— Mais je doute qu'on se marie aussitôt. Ton frère Arkatz devra attendre d'être devenu un bon compagnon forgeron comme son père avant d'épouser Ezti.

— J'attendrai.

— Si tu es sûr que Beatha t'attende...

Le désarroi qui se peignit sur le visage d'Egon dut être tel que Tharsos eut pitié de lui.

— Je vais tâcher de me renseigner.

Tharsos entretenait de bonnes relations avec presque tout le monde dans les deux communautés. Chez les Vascons, en particulier, Zuhur venait souvent le voir et ils avaient de longues conversations philosophiques ou religieuses. Ayant été à l'école des philosophes grecs, Tharsos avait une indulgence amusée pour les innombrables dieux du panthéon romain.

— Au fond, disait-il à Zuhur, Jupiter ou Jaongoïkoa, ce ne sont que des noms par lesquels on désigne le Seigneur de l'univers.

— Oui, mais Jaongoïkoa est notre seigneur à nous, Gizons.

— Il y a un petit peuple du désert, très loin vers le Levant qui prétend aussi que son Dieu n'appartient qu'à lui. Mais finalement, c'est toujours le même Dieu qu'on honore, qu'on l'appelle Zeus, Jupiter, Jaongoïkoa ou Eloïm.

Malgré tous ses efforts, Tharsos n'avait jamais réussi à avoir les mêmes relations avec le druide Dunmac. Irrémédiablement hostile, le prêtre gaulois évitait tout contact avec les Romains comme avec les Vascons. Indurus qui avait l'œil à tout s'était inquiété de son influence sur les adolescents lingons qu'il était chargé d'éduquer dans les traditions celtiques. Il réunit pour en discuter Tharsos et Admatus.

— Je sais qu'il a des relations avec les druides de l'autre rive, dit le chef gaulois. Il a traversé la Garumna plusieurs fois. Mais comment l'en empêcher ?

— Il était seul ?

— Je n'en sais rien. Pour nous, les druides sont des personnages sacrés. Ils sont libres d'aller où ils veulent. Même toi, tu ne pourras empêcher Dunmac de se rendre dans la forêt des Carnutes pour la grande réunion des druides à l'équinoxe de printemps.

— Je n'essaierai pas de l'en empêcher, mais je veux savoir ce qu'il complote. Tu as parmi tes guerriers des hommes qui ont une mauvaise influence sur les autres. Les Santons de l'autre rive sont théoriquement soumis, mais, avec vous autres, Gaulois, on peut s'attendre à tous les revirements, voire à toutes les traîtrises.

Admatus soupira.

— Je sais, Indurus. C'est dans la nature de notre peuple et c'est pour cela que vous autres, Romains, arriverez toujours à nous vaincre. Nous sommes de mauvaises têtes et de grands bavards. Nous-mêmes ne nous faisons pas confiance entre nous. Sans César, il y a longtemps que les Germains nous auraient envahis et asservis.

Comme ils sortaient de la tente d'Indurus, Tharsos dit à Admatus :

— Le centurion pensait à Diviac et à ses amis.

— Je sais, ils m'inquiètent aussi, mais il faut les excuser : ils sont jeunes et ont la tête chaude.

— Dis-moi, Diviac ne fait-il pas les yeux doux à ta fille Beatha ?

— Il me l'a demandée en mariage, mais j'ai refusé, prétextant de sa jeunesse.

— Pourquoi as-tu refusé ?

Admatus hocha la tête.

— Diviac pense qu'en épousant la fille du *vergobret,* il se fera des clients dans la tribu et que, le moment venu, il pourra reprendre la place de son père.

— C'est-à-dire la tienne. Crois-tu qu'il irait jusqu'à te faire tuer ?

— S'il était sûr d'avoir assez de partisans, c'est possible.

— Pourquoi ne prends-tu pas les devants et ne l'élimines-tu pas ?

— Je n'aime pas faire couler le sang, Tharsos.

— Indurus pourrait bien décider de s'en charger pour toi.

— C'est son affaire. Il n'a pas un druide à redouter, lui.

— Tu sais que Beatha a un autre amoureux ?

— Oui, elle m'en a parlé. C'est le fils du forgeron vascon.

— Egon, oui. Et qu'en dis-tu ?

— Il est très jeune. On a le temps d'y songer.

— Mais ça ne te dérangerait pas que ta fille épouse un Vascon ?

Haussant les épaules, Admatus regarda Tharsos.

— Ne m'as-tu pas dit toi-même que ton père était Illyrien et ta mère Hellène?

— Dans la partie du monde d'où je viens, on est habitué à ces mélanges. Ici, c'est peut-être plus difficile.

— Pourquoi? En Hispanie, il y a longtemps que les Celtes se sont mélangés aux Ibères et en Narbonnaise comme en Italie, il y a beaucoup de Gaulois qui sont devenus citoyens romains et ont épousé des Romaines. Ici, déjà les Bituriges Vivisques sont romanisés ou hellénisés et les Sennates sont vasconisés depuis longtemps. Malgré les rêves de quelques chefs de guerre ambitieux et de druides fanatiques, les peuples gaulois sont voués à l'assimilation.

A l'équinoxe, Dunmac franchit la Garumna seul pour se rendre dans la forêt des Carnutes. Quelques jours plus tard, arriva l'inondation.

En une nuit, le fleuve monta jusqu'à envahir à perte de vue toute la plaine de la rive droite. A Alingo, l'alerte fut donnée quand l'eau commença à atteindre les premières maisons de l'établissement lingon. Le pré où elles étaient construites était situé en bord de rivière et se trouvait donc particulièrement exposé aux débordements du fleuve. Averti par Admatus, Indurus donna aussitôt des ordres pour l'évacuation du village. Etabli sur le plateau, le camp romain n'était pas menacé et, à peine en contrebas, Baratz ne serait guère touché par les eaux. Dans l'aube glaciale, Gaulois, Vascons et légionnaires formèrent des chaînes pour transporter meubles, ustensiles et outils vers la hauteur. Le bétail fut poussé vers un enclos de broussailles improvisé en bordure de la forêt. Dans la matinée, trois maisons gauloises furent emportées par le courant et six autres étaient noyées jusqu'au toit de chaume. Indurus fit regrouper les habitants du village gaulois sur Baratz qui, implanté sur un terrefort dominant de quelques pieds de lit de la rivière, ne paraissait pas, pour le moment, menacé par l'inondation, bien que des vieux eussent le souvenir de crues anciennes où l'eau était arrivée jusqu'au *biltoki etxea*. Les Gaulois furent répartis dans les maisons vasconnes. Aberat et Haret se partagèrent la nombreuse famille d'Admatus. C'est ainsi qu'à la nuit tombante, Arima, la mère d'Arkatz et d'Egon, accueillit Beatha et ses deux sœurs plus âgées, Gwenydd et Bryth, autour du foyer familial. Il y avait avec elles leur oncle Cymrith qui portait, accroché à l'épaule une sorte d'instrument de musique triangulaire, muni de cordes.

— Qu'est-ce que c'est? demanda Arkatz.

Pour toute réponse, le Gaulois prit l'instrument dans ses mains et en tira une volée de notes harmonieuses qui retentirent longuement dans la salle enfumée.

— Mon oncle est *bardus*, expliqua Beatha en latin. Il chante des poèmes.

— *Carmina*? demanda Egon. Quel genre de poèmes?

— De vieilles légendes de notre peuple et aussi des chansons d'amour.

— Il peut chanter pour nous?

— Certainement.

Comprenant la question, Cymrith ferma les yeux et caressa doucement les cordes de sa harpe, puis se mit à chanter.

Egon suivait mal les paroles en kelt archaïque. Il comprit cependant que le barde racontait une bataille des temps passés. Peu à peu, sa voix s'enfla dans le fracas des accords qu'il tirait de son instrument. On imaginait des chevauchées de guerriers bardés de bronze et le choc des glaives dans la mêlée. On entendait les gémissements des blessés, les cris de triomphe des vainqueurs. Le chant s'acheva par une longue mélopée funèbre puis par un bref déchaînement de joie sauvage coupé net par un dernier accord qui parut dissonnant aux oreilles d'Egon.

Cymrith but une gorgée de lait de brebis dans l'écuelle que lui tendit Arima, puis il effleura de nouveau les cordes pour en tirer une mélodie douce et nostalgique. Sa voix s'éleva, moins sonore, mais plus prenante encore. Elle disait la douceur du printemps sur les collines vertes, l'éclosion des fleurs dans les près, l'amour des choses et des êtres. Le cœur gonflé, Egon regarda Beatha et leurs yeux se croisèrent avec une tendresse infinie. Un sourire naquit sur les lèvres de la jeune fille. Egon y répondit timidement d'abord, puis franchement. Le visage rayonnant, il se noya, parmi des flots de musique, dans la lumière de ce regard bleu qui s'offrait à lui comme un ciel de bonheur et de joie pure.

C'est seulement au bout de huit jours que les eaux baissèrent. Tout ce temps, les Gaulois furent hébergés chez les Vascons à l'exception de Diviac et de ses amis qui s'étaient installés à la belle étoile en bordure de la forêt. La cohabitation ne se passa pas toujours sans heurts. Il y eut des querelles, des altercations qu'Aberat et Admatus durent arbitrer. Mais les femmes faisaient en général bon ménage, s'enseignant les unes aux autres des recettes, des pratiques. La vie n'était pas très différente dans les huttes d'un peuple à l'autre. Les Gauloises étaient meilleures cuisinières, les Vasconnes meilleures ménagères. Ezti et Beatha s'étaient prises d'amitié, s'aidant mutuellement à fendre le petit bois pour le feu et à nourrir le bétail.

Quand les eaux se retirèrent, on put constater l'ampleur du désastre. Les Gaulois avaient pu mettre à l'abri l'essentiel de leurs biens et leurs animaux, mais plus des deux tiers des maisons étaient détruites et les autres endommagées. Indurus réunit les chefs avec CaIus Publius Balbus, son *magister munitorum* qui était responsable des terrassements et des fortifications dans le camp romain.

— Nous allons, leur dit-il, reconstruire le village sur la rive gauche du ruisseau qui est plus haute que la rive droite. Vascons et Gaulois vont se trouver voisins. Croyez-vous que ce soit acceptable pour les uns et les autres?

— Je le crois, dit Aberat, à condition qu'Admatus tienne bien ses têtes chaudes en mains.

— Avec l'aide de Teutatés, notre dieu, j'espère y arriver, répondit Admatus, mais il faudra que tes légionnaires me soutiennent, Indurus.

— Ils te soutiendront. D'ailleurs nous allons vivre tous ensemble. J'ai demandé au *magister* Balbus de faire les plans d'une fortification qui englobera notre camp et les deux villages. Ainsi, nous ferons d'Alingo un *oppidum*, une ville fortifiée.

On se mit au travail quelques jours plus tard et, au début de l'été, Alingo reconstruit fut entouré d'une double palissade et d'un *vallum* profond de douze pieds. Trois portes gardées par des tours de bois y donnaient accès du côté de la terre. Le rempart ne s'interrompait qu'à l'embouchure du ruisseau qu'on barrait la nuit d'un rideau de fascines.

L'habileté technique des Gaulois fut d'un grand secours. Ils possédaient en particulier des scies plus perfectionnées que celles des Romains. Les Vascons qui ignoraient cet outil en étaient jusque là réduits à tailler leurs planches à la hache dans le cœur de troncs abattus entiers.

Pour solenniser l'achèvement des travaux, Indurus offrit un taureau en sacrifice à Jupiter Capitolin. Zuhur participa à la cérémonie, mais Dunmac, rentré de la forêt des Carnutes, refusa de s'y joindre.

Il s'était installé avec Diviac et ses compagnons dans une maison qu'ils avaient construite eux-mêmes, refusant toute aide, dans un coin éloigné de l'enceinte. Quelques femmes vivaient avec eux, traitées comme des bêtes de somme, mais Diviac, après le refus d'Admatus, ne s'était toujours pas marié.

Au fil des mois, on voyait de plus en plus de bateaux sur la Garumna, faisant le trafic entre Burdigala et la Narbonnaise. Certains appartenaient aux Poïniks auxquels les gens d'Alingo avaient appris à donner leur nom latin de Phoenices, mais il y avait de plus en plus de bateaux grecs et surtout romains.

Les Gaulois, habiles artisans, avaient appris aux Vascons à remplacer leurs paniers rudimentaires par des radeaux maintenus à flot grâce à des outres gonflées d'air. La rame, inconnue jusque là, permettait de faire sur le fleuve de vrais voyages. On allait jusqu'à Sirione[1], le premier village sennate en aval, chercher un vin râpeux et parfumé dont les Gaulois faisaient leurs délices.

De temps en temps, un bateau venait toucher terre à l'embouchure du ruisseau et, comme jadis, on échangeait des peaux et des ouvrages de ferronerie sortis de l'atelier d'Haret contre du sel, du vin, du blé et des étoffes.

La navigation se faisait maintenant sans escorte. Depuis la

1. Actuellement *Cérons*.

conquête de l'Aquitania par Crassus, les Santons se tenaient relativement tranquilles, protestant de leur indéfectible fidélité à Rome, mais Indurus restait méfiant et vigilant.

— La capitale des Santons, disait-il, est loin d'ici. Il n'est pas certain que toutes les tribus obéissent à leur chef. D'autre part, les rapports que je reçois du *praefectus* de Burdigala indiquent que des Pétrocoriens, des Cadurques et même des Arvernes se sont infiltrés sur la rive nord de la Garumna et nous sommes beaucoup moins sûrs de ces peuples. Il nous faut donc rester vigilants.

Au cœur de l'été, un navire romain toucha Alingo. Il en descendit un gros homme ventru et lippu, vêtu d'une toge et suivi d'une trentaine de porteurs, serviteurs et esclaves. Il demanda immédiatement à voir Indurus.

— Je suis Quintus Appius Cerdo, négociant, dit-il. J'ai un ordre du Sénat m'attribuant ici quarante jugères de terrain pour y établir un comptoir.

— Quarante jugères! s'écria Indurus, mais c'est plus que n'en fait notre *oppidum*!

— Je m'installerai hors de l'enceinte. Je compte y construire une villa.

— Ce sera à tes risques et périls, Cerdo.

— Un négociant a l'habitude des risques.

— Il te faudra un certain temps pour construire ta villa et surtout il te faudra de la main d'œuvre.

— Je paierai bien.

Indurus eut un sourire.

— Tu sais, les Gaulois qui vivent ici se servent quelquefois de pièces de monnaie, mais les Vascons du fleuve n'en ont guère l'habitude. Ils font surtout du troc.

— J'ai assez de marchandises dans ce bateau pour acheter leur travail pendant plusieurs années.

Pendant tout l'automne et tout l'hiver, on travailla avec d'autant plus d'ardeur à la villa de Cerdo qu'il payait en vins de Campanie, en salaisons de Lucanie, en étoffes chatoyantes qui rendaient folles toutes les femmes, Gauloises et Vasconnes, et en bijoux d'argent et de cuivre finement ciselés, disait-il, par les artisans de Cappadoce et de Palestine. Egon travailla tout un mois aux terrassements pour offrir à Beatha une fibule en forme d'insecte.

Les Vascons étaient plus réticents que les Gaulois pour commercer avec Cerdo, mais ils devaient reconnaître que l'activité du négociant apportait à la communauté une prospérité et un confort qu'elle n'avait jamais connus. Admatus fit installer un *tepidarium* dans sa maison. Aberat n'alla pas jusque là, mais il fit amener l'eau jusqu'à la place centrale du village par un aqueduc de bois qui captait une source à quelque trois mille pas dans la forêt.

La prospérité d'Alingo était telle que des Vasates et des Ausques de la forêt y affluaient en nombre toujours croissant. Les maisons se multipliaient à l'intérieur de l'enceinte, s'organisant tant bien que mal en ruelles concentriques autour du petit port que constituait maintenant l'embouchure du ruisseau. De plus en plus souvent, des bateaux relâchaient à Alingo pour charger des peaux et des produits de l'artisanat local achetés par Cerdo. L'acier d'Haret était particulièrement apprécié par le négociant qui détacha auprès de lui une dizaine de ses esclaves pour agrandir son atelier.

Egon et Arkatz apprenaient le métier, mais chacun avait ses préférences. De son bras puissant, Arkatz aimait marteler, donner forme au métal à grands coups de masse. Des Gaulois, il avait appris l'art de ferrer les chevaux, ce qui augmentait la résistance de leurs sabots lors des longues chevauchées.

Ayant grandi de plusieurs pouces et devenu un homme svelte et finement musclé, à la peau mate et aux cheveux noirs, Egon s'intéressait particulièrement à la fonte et au raffinage du métal. L'alios arrivait du Grand Marécage par chariots entiers depuis que les Gaulois avaient généralisé l'usage des véhicules à roues. Surveillant sans cesse ses fourneaux, Egon s'émerveillait chaque fois de voir le fer sourdre comme un ruissellement de feu des gros blocs de grès rougeâtre. Il essayait de comprendre combien de fagots de bois vert il fallait faire brûler avec le métal pour obtenir le meilleur acier possible. Il améliora considérablement ses résultats quand un vieux Gaulois qui avait jadis été forgeron lui conseilla de remplacer le bois vert par du charbon de bois. Ce fut le même Gaulois qui lui indiqua comment reconnaître à la nuance du rouge la meilleure température pour tremper l'acier.

Il fit installer des meules à charbon de bois à quelque distance dans la forêt. Beatha et ses sœurs, aidées d'Ezti, en eurent la charge. Egon allait parfois les voir, accompagné d'Arkatz, dans la clairière qu'emplissait une fumée âcre et odorante. Les jeunes gens y organisaient des jeux et il était bien rare qu'au cours d'une poursuite ou d'une partie de cache-cache, Egon ne pût échanger un baiser avec Beatha.

Au cours du deuxième automne après l'arrivée des Romains, alors que les légionnaires s'employaient à déboiser une bande de forêt pour construire une voie en direction de Burdigala le long du fleuve, la nouvelle arriva de la mort du légat Crassus et de son père, le triumvir, qui guerroyaient à l'autre bout du monde, chez les Parthes.

Dès qu'il apprit la nouvelle, Cerdo vint voir Indurus qui était bouleversé par la mort de son ancien chef.

— Publius Licinius Crassus était un grand soldat et un noble Romain, dit-il.

— Ce n'est pas tant la mort du fils qui m'inquiète, répondit Cerdo, que celle de son père Marcius. C'était mon banquier à Rome et, malgré tous ses défauts, il maintenait un bon équilibre entre Pompée et César. Maintenant, les deux hommes vont être des rivaux et qui sait jusqu'où l'ambition peut les entraîner ?

— Tu n'as pas tort, Cerdo. La rivalité de César et de Pompée ne pourra qu'affaiblir la puissance romaine. Nous ne tenons la Gaule qu'avec quelques légions et une multitude d'alliances incertaines. Si les Gaulois se trouvent un chef pour s'unir contre nous, nous aurons du mal à nous en tirer.

— Veux-tu dire qu'il faudra partir ? C'est que j'ai placé ici tous mes investissements. Il n'est pas question que je m'en aille !

— Moi non plus, Cerdo, je n'ai pas l'intention de m'en aller. La Vasconia tout autant que Rome est ma patrie !

64

L'ENTRE-DEUX-MERS

L'ÉTÉ OÙ Egon atteignit son seizième anniversaire, Indurus reçut deux centuries de renfort, lui-même étant promu au rang de commandant de manipule. Selon son habitude quand un événement important se produisait, il fit appeler Tharsos, Aberat et Admatus.

— La situation est grave, leur dit-il. Les Carnutes et les Eduens se sont soulevés et la rébellion gagne tout l'ouest de la Gaule. Près de six mille Romains ont été massacrés en Belgique. César a rappelé deux légions de Cisalpine sous les ordres du frère aîné de Crassus. Les centuries que nous venons de recevoir viennent d'Hispanie et ont été mises à la disposition de César par Pompée. Elles sont rattachées à la XIe légion de l'armée de Gaule dont nous faisons désormais partie. Nous devons dès maintenant nous considérer comme en opérations.

— Contre qui? demanda Admatus.

— Contre tous ceux qui menacent la sécurité de cette province. Nos éclaireurs ont signalé d'importantes concentrations de troupes gauloises au nord de la Garumna. Tharsos, montre la carte que j'ai fait établir.

Le vieil homme déroula un parchemin.

— Comme vous pouvez le constater, reprit Indurus, il existe à deux journées de marche au nord de la Garumna un autre fleuve presque aussi important.

— Nous le connaissons bien, dit Aberat. C'est le Dourdoun.

— Disons le Duranus[1]. Ce fleuve rejoint la Garumna en aval de Burdigala, mais savez-vous d'où il vient?

---

1. Actuellement la *Dordogne*.

— Il vient des Montagnes Rondes, répondit Aberat. Mon grand père y a conduit une expédition jusque chez les Cadurques. Les Gaulois étaient moins hostiles à cette époque.

— Le Duranus, dit Indurus, vient du pays des Arvernes. Si César les bouscule, ce sera une voie de repli toute trouvée pour eux.

— Que proposes-tu? demanda Admatus.

— D'envoyer une expédition pour occuper la ligne du Duranus et contrôler la région d'entre les deux fleuves.

— Les Vivisques, dit Aberat, qui n'ont jamais très bien su distinguer un océan d'une rivière, l'appellent le pays d'entre les deux mers.

— C'est, dit Tharsos, un peu comme la région entre le Tigre et l'Euphrate qu'on appelle la Mésopotamie.

— Quel genre d'expédition? insista Aberat.

— Une expédition de peuplement. Alingo commence à être surpeuplé par les afflux incessants de Vascons du sud et, avec les centuries qui viennent d'arriver, nous allons nous trouver à l'étroit. Aberat, penses-tu qu'il y aurait des Vascons disposés à aller coloniser le Duranus?

Il posait un doigt sur la carte.

— Les Bituriges Vivisques contrôlent le triangle formé par le confluent des deux fleuves jusqu'à une sorte de petite montagne au pied de laquelle une rivière se jette dans le Duranus. Elle vient, elle aussi du pays des Arvernes. Il faudrait y établir un *oppidum* et installer de petites places fortes le long de la rive du Duranus jusqu'au territoire des Petrocoriens, c'est-à-dire à l'aplomb d'Aginnum. Cela représente environ cinquante milles. Disons qu'il faudrait entre deux cents et deux cent cinquante colons.

— Il faut que j'en parle au Conseil, Indurus, dit Aberat. C'est une décision que je ne puis prendre seul.

— Je détacherai une de mes trois centuries sous les ordres de Marcus Antonianus Faber pour leur fournir une escorte pendant le voyage et leur laisser des garnisons.

Honneur insigne, Arketz et Egon furent pour la première fois admis au Conseil. Il y avait beaucoup plus de monde que d'habitude dans la salle du *biltoki etxea*, car Aberat avait convoqué les représentants de toutes les tribus et communautés vasconnes immigrées à Alingo au cours des deux dernières années.

En quelques mots, Aberat exposa le projet d'Indurus. Il y eut un long silence, chacun ruminant les paroles qu'il venait d'entendre, puis Zuhur leva la main et dit:

— Les traditions parlent de ce pays d'entre les deux rivières. Autrefois, les Gizons l'ont habité. Certains y demeurent peut-être encore. C'est eux qui ont donné son nom au Dourdoun. Ce n'est pas un mot kelt. Amagoïa qui est plus vieille que moi y est née. Je propose qu'on la fasse venir et qu'on lui demande ce qu'elle sait.

Il y eut un murmure d'assentiment et, quelques instants plus tard, la vieille femme, mince et droite dans sa longue robe de bure, son visage ridé entouré d'une auréole de cheveux blancs, se présenta devant le Conseil. Aberat lui expliqua ce qu'on attendait d'elle.

— Je suis née, dit-elle, dans le Bitarteko Herri comme nous l'appelions alors. Notre village, Espelet, était à peu près à égale distance entre le Dourdoun et le Garom. C'est un beau pays de collines couvertes de forêts épaisses. Nos ancêtres avaient défriché de riches terres à blé et de gras pâturages. Mais, depuis longtemps, les Kelts venus du nord avaient commencé à envahir notre territoire. D'abord, ils s'installaient peu nombreux entre nos villages, puis, peu à peu, ils étendaient leur territoire, brûlant nos fermes, massacrant la population. Nous étions trop dispersés pour nous défendre. Les Roms n'étaient pas encore venus et les Kelts n'avaient rien à craindre. Un jour, j'avais huit ans, une bande de Kelts Santons a attaqué Espelet. Tout brûlait autour de nous. Mon père nous a rassemblés et, abandonnant tous nos biens, les mains vides, nous sommes partis vers le sud. Nous avons marché toute la nuit. Au matin, nous sommes arrivés sur les bords du Garom. Un homme pêchait sur les graviers. C'était le grand-père d'Aberat. Il nous a fait traverser le fleuve et nous sommes arrivés ici.

Un vieux Vasate à barbe blanche qui l'écoutait, leva la main.

— Cette femme dit vrai. Je suis allé dans le Bitarteko Herri quand j'étais jeune. La terre y est riche, plus riche même qu'ici.

Aberat promena son regard sur l'assistance.

— Vous avez entendu nos anciens, dit-il. Y en a-t-il parmi vous qui soient disposés à aller reprendre possession d'un territoire qui a été le nôtre ?

Un homme encore jeune leva la main. C'était un Vasate, parmi les derniers arrivés à Alingo.

— Nous venons des confins du Grand Marécage, dit-il. Chez nous, la terre est pauvre et faite surtout de sable. Nous cultivons du mil et nous n'avons d'autre bétail que des moutons. Le sol est plus généreux ici, mais il ne reste plus beaucoup d'espace à cultiver aux environs d'Alingo. Nous sommes disposés à tenter l'aventure.

Tour à tour, deux, puis quatre autres mains se levèrent. Il y avait là deux groupes d'Ausques du sud, un autre groupe de Vasates et un groupe de Tarbelles au regard farouche, venus depuis peu du fond de leur lande. D'autres déclarèrent qu'ils ne seraient pas opposés à aller peupler le pays d'entre les deux mers une fois que les garnisons du Dourdoun y assureraient la sécurité.

— Pour le moment, dit Aberat, nous allons faire le compte de ceux qui sont décidés à partir immédiatement.

Cela faisait près de trois cents personnes dont un peu plus de cent-vingt hommes en état de porter les armes.

Quand Aberat rapporta ces chiffres à Indurus, ce dernier parut soulagé.

— Avec ma centurie, cela fera plus de deux cents combattants. Peux-tu fournir un contingent, Aberat ?

— Une cinquantaine d'hommes.

— A qui en confieras-tu le commandement ?

— Je pensais y aller moi-même.

— Non, je préfère que tu restes ici avec moi. Admatus a demandé à participer personnellement à l'expédition avec trente de ses cavaliers lingons. Je ne peux pas me séparer des deux chefs à la fois.

— Alors, je pense à Haret avec ses deux fils comme lieutenants.

— C'est un bon choix. Les garçons sont jeunes, mais intelligents et courageux. Bien, nous allons commencer immédiatement les préparatifs. J'aimerais que l'affaire soit terminée à l'automne.

Il fallut trois semaines pour organiser l'expédition. On construisit des radeaux pour embarquer les quelque cinq cents personnes qui allaient y participer, le bétail, les outils, ainsi que le matériel nécessaire à la fabrication de machines de guerre, balistes, scorpions et catapultes. Des chariots bâtis sur le modèle gaulois accompagneraient la colonne. Les trentes Lingons emmenaient leurs chevaux auxquels il fallait ajouter ceux de la *turma* de cavalerie qui accompagnerait la centurie.

Quand l'avant-garde passa le fleuve, aucune opposition ne se manifesta. Sur l'ordre d'Haber, les Vascons d'Alingo se portèrent immédiatement à trois milles en avant pour établir des avant-postes au pied des coteaux qui limitaient la grande plaine de la rive droite.

Il fallut toute une journée pour transborder le convoi. La nuit, tout le monde bivouaqua sur place. Egon était en faction au débouché d'une piste qui, à travers la forêt, venait de la petite place forte que les Nitiobroges avaient établie sur un rocher qui dominait la Garumna un peu en amont. L'oreille tendue, il guettait les moindres bruits suspects, prêt à donner l'alarme. A un moment, il crut entendre des aboiements de chien, preuve qu'il y avait des habitants dans cette direction, mais cela pouvait être aussi des jappements de loups. Un peu avant l'aube, un grand cerf passa, piétinant lourdement le sous-bois. En bon chasseur, Egon ne bougea pas. La bête s'arrêta à quelques pas de lui pour boire de l'eau dans une flaque. Avec son arc, Egon n'aurait eu aucun mal à l'atteindre, mais le moment n'était pas de songer au gibier.

Au petit jour, les *tubicenes* romaines sonnèrent le réveil et, presque aussitôt, les cavaliers lingons partirent en reconnaissance, Admatus en tête. Le convoi suivit plus lentement, s'engageant entre les collines boisées d'où pouvait surgir à tout moment un danger mortel. Les légionnaires marchaient en flanc gardes et la *turma* explorait sans cesse les sommets, avoisinants.

Vers midi, Admatus rentra avec ses cavaliers. Ils avaient repéré à quelque six milles un établissement gaulois sur un escarpement qui faisait face au nord.

— C'est un village nitiobroge, dit Admatus à Haber. Ils ont l'air assez inoffensif, mais, dans le creux, il y a un campement de guerriers avec des chevaux. Un éclaireur que j'ai envoyé a pu s'en approcher. D'après lui, ce sont des Cadurques.

— Combien d'hommes? demanda Haber.

— Mon éclaireur a compté une cinquantaine de chevaux.

— Donc au moins cinquante guerriers. C'est une force trop importante pour que nous la laissions sur nos arrières. Est-ce qu'on peut s'en rapprocher sans être vus?

— La vallée où nous sommes continue vers le nord, mais il s'en détache à à peu près cinq milles une petite rivière qui passe juste au pied du campement. Mon éclaireur a pu s'approcher à quatre cents pas sans être repéré.

Haber réfléchit.

— Nous allons continuer jusqu'à cette rivière dont tu parles. Nous bivouaquerons là. A la nuit tombée, j'enverrai Haret et ses hommes. Si les Gaulois ne sont pas plus nombreux que tu dis, ils devraient suffire à les liquider. Nous nous tiendrons prêts à intervenir le cas échéant. Haret remontera la rivière et attaquera le campement par le nord. Ils ne s'attendent certainement pas à un danger de ce côté.

C'est ainsi que, quelques heures plus tard, Egon se trouva à la tête d'une quinzaine d'hommes en train de suivre dans la nuit la rive droite du petit cours d'eau. Soudain, l'éclaireur lingon qui les accompagnait souffla:

— C'est là. On voit les feux.

En effet, à quelque cinq cents pas sur la gauche, on distinguait des rougeoiements. Ce n'étaient guère que des braises. Les Gaulois avaient dû laisser tomber les feux pour la nuit. La lune en était à son premier quartier et les nuages ne laissaient passer que de temps en temps sa lueur incertaine. C'est à peine si l'on pouvait deviner les contours du terrain.

Egon fit arrêter ses hommes et attendit qu'Haret et Arkatz le rejoignent. Il rendit compte la situation à son père.

— Arkatz, dit Haret, tu vas continuer le long de la rivière jusqu'à dépasser le campement, de manière à le prendre par l'ouest. Egon, tu vas gagner cette crête que tu aperçois là-bas et qui domine légèrement le campement. Moi, je vais me placer entre vous deux sur le bord de la rivière. Au signal que je donnerai avec la corne, nous attaquerons par les trois côtés à la fois. Egon, tu iras directement vers les chevaux et tu les disperseras, puis tu prendra le campement à revers. Il faudra faire vite : les Gaulois sont rapides pour prendre les armes. Dès qu'ils entendront le coup de corne, ils seront en alerte.

L'attente parut interminable. Egon avait rangé ses hommes, presque tous des adolescents à peine plus âgés que lui, le long de la crête de manière que, dès le premier pas, ils se trouvent prêts à dévaler vers le campement. Le premier feu se trouvait à environ deux cents pas. Egon essaya d'évaluer le temps qu'il lui faudrait pour l'atteindre. Deux cents battements de son cœur. Il essaya de compter, mais il s'embrouilla après cinquante.

A gauche du feu, il devinait les chevaux qui s'ébrouaient nerveusement. Ils devaient avoir senti l'approche d'étrangers. Un chien aboya dans le village, sur la hauteur. C'est au mouvement qu'il fit pour tourner la tête dans cette direction qu'Egon aperçut le Gaulois posté en sentinelle entre le feu et les chevaux. Il faudrait l'éliminer d'abord. Il fit passer la consigne à ses hommes.

La gorge nouée, il assura sa prise sur la garde de son épée et vérifia que son couteau était à sa ceinture. Le mugissement de la corne le prit par surprise. Ses jambes se détendirent sans qu'il s'en rendît compte.

— En avant !

Combien de battements de cœur ? Son épée était déjà sur la gorge de la sentinelle gauloise et taillait avant que l'autre ait pu pousser un cri. Il bondit vers les chevaux où déjà ses hommes coupaient les longes. Il tira son couteau et trancha les lanières à l'aveuglette. Une claque sur la croupe et le cheval se cabrait, puis s'enfuyait au galop.

Derrière lui, la clameur s'enflait tandis qu'Arkatz et Haret fauchaient des silhouettes titubantes de Gaulois mal réveillés.

Une résistance s'organisa autour du chariot qui devait être celui du chef. Un Vascon d'Arkatz tomba, la tête quasiment tranchée par une grande épée de bronze. Egon entrevoyait la scène dans le rougeoiement des brasiers. Ralliant ses hommes, il fonça, prenant les Gaulois à revers. Un dernier Gaulois, plus grand que les autres se défendait pied à pied contre Haret et paraissait prendre le dessus. Egon voyait ses grosses tresses rousses battre son dos ruisselant de sueur. D'un bond, il fut sur lui et lui plongea son poignard dans le dos.

Le silence soudain tomba sur le camp. Arkatz arrivait, suivi de ses hommes.

— Nous avons fait deux prisonniers, dit-il. Ce sont des Arvernes.

— Le centurion les interrogera, répondit Haret.

Les Vascons s'affairaient à dépouiller les Gaulois morts de leurs bijoux et de leurs armes. Accrochée à la ceinture du grand chef roux, Egon trouva une bourse de cuir qui contenait une pièce de monnaie en or. Il la porta à Haret qui s'approcha du brasier pour l'examiner. L'avers représentait le profil d'un homme jeune au visage fin et aux cheveux en bataille.

Quand ils rejoignirent la colonne, une demi-heure plus tard, il remit la pièce à Haber qui l'examina curieusement et déchiffra l'inscription.

— Vercingétorix, dit-il. C'est le nom du fils de Celtill, le chef arverne qui a été exécuté par les siens pour avoir essayé d'être roi. Son fils doit avoir les mêmes ambitions.

L'interrogatoire des deux prisonniers confirma la chose. Le détachement de Cadurques et d'Arvernes étaient venu dans le pays d'entre les deux mers pour essayer d'y soulever les Santons et les Nitiobroges au nom de Vercingétorix. D'autres détachements battaient la campagne le long du Duranus et à l'intérieur des terres. Les Cadurques s'étaient joints à l'insurrection et plusieurs tribus santones, désobéissant à leurs chefs, avaient fait de même.

Haber fit décapiter les prisonniers et la colonne reprit son chemin à l'aube avec des précautions accrues. Une ou deux fois, les éclaireurs repérèrent des troupes de Santons dont l'attitude paraissait hostile, mais qui n'osaient pas s'attaquer à la colonne.

Le quatrième jour enfin, ils atteignirent le Duranus. Il était presque aussi large que la Garumna et Egon s'émerveilla de la vaste étendue d'eau que formait son confluent avec l'autre rivière au pied de la petite montagne qui marquait la limite du territoire des Vivisques. Il y avait là un village santon où on les accueillit sans hostilité. Ils eurent même la surprise de découvrir des Vascons mêlés à la population gauloise avec laquelle ils avaient l'air de s'entendre.

Haber examina attentivement le site et décida d'implanter son *oppidum* un peu en amont du village gaulois.

— Nous l'appellerons Condate[1], dit-il. C'est le nom d'un *oppidum* de Bretagne dont le paysage ressemble un peu à celui-ci.

Romains, Vascons et Lingons restèrent là trois semaines, le temps de creuser le fossé et de planter le *vallum*.

Plusieurs fois, Admatus et ses cavaliers firent des reconnaissances soit le long du Duranus, soit à l'intérieur des terres. Ils aperçurent à diverses reprises des troupes de Cadurques ou d'Arvernes, mais, suivant les instructions d'Haber, ils évitèrent toujours le combat. En visitant des villages isolés, ils apprirent que des factions de Santons s'étaient rebellées contre leurs chefs et faisaient cause commune avec les insurgés. Deux ou trois fois, ils rencontrèrent des hameaux où survivaient des familles d'anciens Vascons qui avaient résisté à l'invasion gauloise. Comme les Lingons étaient eux-mêmes des Gaulois et en avaient l'apparence, ils provoquaient chaque fois des paniques qu'ils avaient du mal à calmer.

Haber laissa à Condate une décurie de légionnaires et une centaine de colons vasates, puis il reprit sa route vers l'amont. Trois autres colonies de moindre importance furent implantées sur la rive gauche du Duranus. Elles prirent les noms de Cabara, de Barralh et de Gardon qui étaient ceux des villages d'où étaient originaires les colons. Puissamment fortifiées, elles n'avaient pas besoin d'autre garnison que leurs guerriers vascons. Haber envisageait d'implanter un autre *oppidum* à une cinquantaine de milles de Condate.

1. Actuellement *Condat*, près de Libourne.

Les jours commençaient à raccourcir quand il trouva le site qu'il cherchait : une hauteur qui dominait une vaste plaine sur plus de trois milles jusqu'au Duranus. Elle était faiblement boisée et les colons n'auraient pas de mal à la défricher pour mettre en culture la terre qui paraissait grasse et fertile.

Deux jours plus tard, comme les légionnaires s'employaient à creuser le *vallum*, Haber se tenait sur le sommet de la colline avec Admatus, Haret, Arkatz et Egon. Il montra la lisière de la forêt, toute proche.

— Il faudra déboiser au sud, dit-il. Les arbres masquent les vues et cacheraient un assaillant qui voudrait attaquer par là.

— J'ai vu quelque chose bouger entre les troncs, dit soudain Arkatz en mettant sa main en visière au dessus de ses yeux.

Egon suivit son regard et, presque aussitôt, aperçut plusieurs éclairs brillants, comme si le soleil se reflétait sur du métal.

— Il y a des hommes en armes à la lisière de la forêt, dit-il.

Haber regarda à son tour.

— C'est bien ce que je craignais, dit-il. Haret, prends une centaine de Vascons et va en reconnaissance.

— Avec mes chevaux, j'y serai plus vite, dit Admatus.

— Sans doute, mais nous aurons probablement besoin de ta cavalerie plus tard.

Appelant un décurion, Haber lui ordonna de mettre la légion en alerte. Quelques instants plus tard, les Romains abandonnèrent leurs pelles pour saisir leurs boucliers, leurs *pila* et leurs glaives.

Déjà, Haret, Arkatz et Egon suivis des Vascons, dévalaient la pente en direction de la forêt. Ils étaient à peine à mi-chemin quand une clameur immense retentit. Des Gaulois, en nuée épaisse, jaillirent d'entre les arbres et se portèrent à leur rencontre en brandissant leurs longues épées de bronze. Du coin de l'œil, Egon vit une troupe de cavalerie gauloise qui sortait de la forêt vers la droite et s'engageait au grand galop dans la plaine, manifestement pour prendre la colline à revers.

Le choc eut lieu à deux cents pas des arbres en terrain accidenté. Les Gaulois étaient deux fois plus nombreux que les Vascons qui taillaient et piquaient autour d'eux avec rage.

Plusieurs d'entre eux tombèrent dès le premier engagement. Mais Haret qui, brandissant à deux mains sa grosse masse, faisait éclater les casques et fendait les crânes, rallia ses hommes, Arkatz et Egon à ses côtés. L'épée d'Egon ruisselait de sang, mais la résistance des Vascons, dominés en nombre, commençait à faiblir. C'est alors qu'Egon entendit derrière lui un martèlement sourd. Eventrant d'un revers de couteau de la main gauche un Gaulois qui le menaçait, il jeta un coup d'œil par dessus son épaule. La centurie romaine arrivait à la rescousse.

On aurait dit une boîte gris-bleu de trente pieds de long sur quinze de large. Leurs boucliers imbriqués les uns dans les autres, les légionnaires formaient la tortue, mais c'était une tortue qui avançait vite, au pas cadencé. Quand elle arriva à une trentaine de pas des Gaulois, un ordre l'immobilisa. Tous les boucliers se soulevèrent ensemble et une cinquantaine de *pila*, les redoutables javelots des Romains, en jaillirent. Presque tous atteignirent leur homme. Les Gaulois hésitèrent un instant, pris par surprise. Puis la boîte se défit en un clin d'œil et, sur trois rangs, la ligne des légionnaires marcha en avant sans hâte, *gladii* levés et lances pointées.

Haret profita du répit pour lancer un nouvel assaut. Les Gaulois lâchèrent pied et certains commencèrent à courir vers le refuge de la forêt. La centurie s'ébranla au pas de course, commençant systématiquement le massacre des fuyards. Les Vascons poursuivirent les Gaulois jusqu'à plus de deux cents pas dans la forêt, mais les survivants s'étaient évanouis entre les arbres.

Dès qu'il put souffler, Egon se retourna vers la plaine. Il distingua Admatus qui déployait ses cavaliers pour engager les Gaulois avant qu'ils ne puissent approcher de la colline. Là aussi, le combat paraissait inégal. Les Gaulois étaient plus de cent. Les Lingons se battaient avec vaillance, chargeant à plusieurs reprises sans souci des pertes, mais ils allaient être dominés quand les trente cavaliers de la *turma* romaine intervinrent à leur tour sur trois colonnes. Lourdement harnachés et bardés de cuir, ils pénétrèrent la masse de la cavalerie gauloise et la divisèrent en trois groupes inégaux. Ils eurent tôt fait d'en finir avec les deux premiers. Le troisième, une cinquantaine d'hommes, tourna bride et alla se réfugier dans la forêt.

Plus de cent Gaulois restaient sur le terrain. Tandis qu'on achevait les blessés et qu'on dépouillait les cadavres ennemis, on ramassait les morts amis : douze Vascons et neuf Lingons parmi lesquels Admatus qu'un cavalier ramena tout sanglant en travers de sa selle.

Haber fit dresser un bûcher pour les victimes et un prisonnier gaulois fut immolé en sacrifice.

— Cet *oppidum*, dit-il, s'appellera Monticellus Admatus en l'honneur du chef valeureux qui a donné sa vie pour sa défense.

On apporta le plus grand soin aux fortifications. Les arbres fournis par le déboisement de la forêt sur trois cents pas furent utilisés pour construire une triple palissade et le *vallum* fut doublé par un fossé hérissé de pieux pointus.

Les feuilles des arbres commençaient à jaunir quand ce qui restait de la colonne prit le chemin du retour. Haber laissait sur place les derniers colons, une centaine, et deux décuries.

— Vous avez assez de provisions, dit-il, pour tenir jusqu'aux prochaines récoltes et, d'ici là, nous serons revenus.

Le retour se fit en droite ligne vers le sud-ouest à travers un terrain toujours boisé et vallonné. De temps en temps, Haber repérait une colline aux vues particulièrement dégagées qui se prêterait plus tard à l'installation d'un *oppidum*. Ils rencontrèrent trois hameaux vascons et une dizaine de villages santons ou nitiobroges. Partout l'inquiétude régnait. Les Cadurques, les Arvernes et les rebelles santons pillaient et rançonnaient le pays, emmenant avec eux le bétail et les réserves de céréales tandis que la population échappait au massacre en se réfugiant dans les bois.

La colonne des cent cinquante guerriers et légionnaires restants fut attaquée cinq fois par des partis de Gaulois à cheval, mais, à la première résistance, les assaillants, s'esquivaient. La Garumna fut atteinte en quatre jours un peu en amont d'Alingo. Arrivés en face de la place forte, Haber fit faire des signaux de reconnaissance et, moins d'une heure plus tard, des radeaux vinrent charger la troupe.

LE RAID

E GON SE chargea d'annoncer à la famille d'Admatus la fin glorieuse du chef lingon. Ce fut une scène déchirante, car Admatus était très aimé des siens. Ayant perdu sa femme jeune, il avait lui-même élevé ses trois filles avec son frère Cymrith, le barde.

Gauchement, Egon essayait de consoler Beatha.

— Nous le vengerons. Nous ne l'oublierons pas...

Elle leva vers lui ses yeux de ciel lavés de larmes.

— Il ne me reste plus que toi à aimer, Egon, dit-elle.

Il y eut chez les Lingons comme chez les Vascons des cérémonies funèbres pour célébrer les guerriers disparus au cours de cette campagne. Refusant d'y participer, le druide Dunmac se retira seul dans la forêt pour accompagner les âmes des Gaulois morts selon les rites mystérieux des Anciens.

Le huitième jour après le retour de l'expédition, Indurus convoqua tous les hommes d'Alingo, Gaulois et Vascons, sur l'esplanade du camp romain. Ses troupes étaient rangées derrière lui. Montant à la tribune, il parcourut des yeux les visages tournés vers lui.

— Les Lingons, dit-il, ont perdu un chef sage et valeureux que personne ne pourra jamais remplacer. Le moment est sans doute venu pour Alingo de n'avoir qu'un seul chef comme elle n'est déjà qu'une seule cité. Il y a ici trois communautés : celle de mes légionnaires, celle des Vascons et celle de Lingons. Je puis obtenir pour ceux qui ont combattu sous nos enseignes la citoyenneté romaine, mais vous êtes tous, avant tout, des citoyens d'Alingo. Déjà beaucoup d'entre vous ont pris femme

hors de leur communauté. Des enfants sont nés qui ne connaî-
tront d'autre patrie qu'Alingo. Je vous propose d'élire un sénat
de trente membres parmi les plus sages et les plus courageux
d'entre vous sans distinction d'origine et de désigner un chef
qui portera le titre de *praetor* au nom du Sénat et du peuple
romains. Quant à moi, en ma qualité de *praefectus*, je garderai le
commandement militaire.

La proposition était inattendue et elle provoqua un mouvement de surprise dans l'assistance. Il y eut une longue rumeur
de voix. Les Lingons, en particulier, discutaient âprement entre
eux. Mais ce fut Cerdo qui, le premier, demanda la parole.

— En tant que citoyen romain, dit-il, je tiens à déclarer que la
proposition du *praefectus* me paraît pleine de bon sens. Il n'y a
pas de prospérité sans commerce actif, il n'y a pas de commerce
sans une bonne organisation politique, il n'y a pas d'organisation politique sans un pouvoir unique. Je ne suis certes pas
candidat à la fonction de *praetor*, mais, si vous ne m'en jugez pas
indigne, je pense pouvoir rendre des services comme sénateur.
Ceux qui voteront pour moi n'auront pas à s'en repentir.

Le deuxième à prendre la parole fut Aberat.

— Il y a peu d'années, dit-il, j'étais le *gehien* d'un petit village
vascon, mais Alingo est maintenant devenu une ville. Les
anciens habitants de Baratz y sont en minorité. Il ne serait pas
juste que je conserve le pouvoir si le plus grand nombre d'entre
vous n'y consentaient pas. Je me rallie donc à la proposition
d'Indurus.

Il y eut un moment de silence, puis Idomar s'avança.

— *Praefecte*, dit-il, les Lingons ne sont pas d'accord entre eux.
Les plus nombreux, dont je suis, pensent comme toi que les
gens d'Alingo ne forment qu'un seul peuple et ne doivent avoir
qu'un seul chef. Je suis certain qu'Admatus aurait été de mon
avis. Je suis Gaulois, certes, mais j'ai épousé une femme vasconne et le fils qu'elle m'a donné est un enfant d'Alingo. Mais si
tu veux avoir l'assentiment de tout le monde, il faudra que tu
convainques ceux des Lingons qui ne veulent ni d'un seul
peuple, ni d'un seul chef.

— Y a-t-il quelqu'un qui veuille parler en leur nom? demanda Indurus.

Diviac s'avança. Armé de pied en cap, il avait fière allure avec ses longs cheveux châtain clair et sa moustache tombante.

— Moi, Romain, je parlerai en leur nom, dit-il.

Puis, tournant délibérément le dos à Indurus, il s'adressa aux Vascons.

— Barbares, sachez que les Gaulois sont un peuple fier. Les Lingons n'ont jamais connu d'autre chef que leur *vergobet*. Admatus occupait cette place grâce à la protection des Romains avec lesquels il avait conclu une alliance honteuse. Il a été tué en combattant ses frères, juste punition de sa traîtrise. Je suis le fils de l'ancien *vergobret* qui a été tué en combattant, lui, les Romains. C'est pour combattre les Romains que j'invite les Lingons qui ont conservé la fierté de leur race à me reconnaître comme leur chef unique et légitime !

Indurus regardait pensivement le jeune homme.

— Tu es courageux, Diviac, dit-il. Pour ce que tu viens de dire, je pourrais te faire arrêter et exécuter. C'est parce que je respecte ton courage que je t'épargnerai cette fois. Que les Lingons qui partagent ton opinion viennent se ranger à côté de toi, montrant ainsi que leur courage égale le tien. Vous quitterez immédiatement Alingo et si vous y êtes repris, ce sera la mort pour vous.

Douze guerriers lingons, tous très jeunes, sauf un géant barbu à l'air farouche, du nom de Virimar, vinrent rejoindre Diviac. Puis on vit le druide Dunmac s'avancer. La tête haute, il toisa Indurus.

— Que le ciel te tombe sur la tête, Romain ! Même si Rome écrase les Gaulois, son destin est marqué. Des grandes plaines du nord d'où nous sommes jadis venus, des peuples innombrables se sont mis en marche et Rome connaîtra un jour le sort que connaît aujourd'hui la Gaule !

Puis il fit signe à Diviac et à ses compagnons. Dans le silence général, le groupe se dirigea vers le petit port à l'embouchure du ruisseau, s'embarqua sur un radeau et, promptement, fit force rames vers l'autre rive.

Par acclamations, Aberat fut élu *praetor*. Tharsos, Zuhur, Haret, Idomar et Cerdo étaient parmi les membres du Sénat. La première décision d'Aberat fut que Beatha et ses sœurs, ainsi que leur oncle Cymrith, vivraient au foyer d'Haret. Dès le premier soir, le barde chanta un long poème en l'honneur d'Admatus et de ses compagnons. Longtemps, devant le feu, Egon et Beatha l'écoutèrent en se tenant la main.

Dès la semaine suivante, Indurus réorganisa ses troupes. C'étaient tous des vétérans aguerris qui avaient combattu aux quatre coins du monde connu. Trente d'entre eux avaient atteint et dépassé l'âge de l'*honesta missio*, c'est-à-dire de la libération du service des armes. Ils voulaient tous rester à Alingo, ce qui ne présentait pas de difficultés, mais il fallait les remplacer. Indurus engagea des volontaires vascons et lingons qui avaient participé à l'expédition dans l'Entre-Deux-Mers. Ils commencèrent aussitôt le rude entraînement des légionnaires romains sous l'inflexible autorité d'Haber.

Quand Arkatz et Egon voulurent se porter volontaires, Indurus refusa.

— Non, Arkatz, dit-il, tu viens d'épouser Ezti et tu dois fonder un foyer ici, à Alingo. Un jour viendra où Aberat sera trop vieux pour assumer la fonction de *praetor* et quelqu'un devra lui succéder. Il faut que tu te prépares à cette tâche. Quant à toi, Egon, tu épouseras bientôt Beatha. Veux-tu lui imposer la rude vie des camps ou l'abandonner peut-être pour des années? Nous sommes ici depuis trois ans, mais demain, il se peut que nous allions guerroyer dans les déserts d'Asie, dans les forêts de Germanie, dans les plaines de Pannonie ou dans les montagnes de Dacie. Ton destin est à Alingo. Si tu veux, je puis te prendre quelque temps avec moi comme mon *custos corporis*, mon garde du corps, mais laisse la légion à ceux dont les racines sont moins profondes que les tiennes. Haret a besoin d'un fils qui puisse un jour lui succéder.

Au cours de l'hiver, Egon eut l'occasion d'accompagner Indurus qui, escorté d'une centurie, fit une tournée d'inspection dans l'Entre-Deux-Mers. Ils furent peu inquiétés par les Gaulois. D'après les renseignements qu'ils recueillirent dans les villages, le gros des troupes rebelles avait fait mouvement vers le nord. Condate, Monticellus Admatus et les trois autres établissements vascons n'avaient subi que quelques assauts facilement repoussés. Pourtant, l'angoisse régnait. On disait que des peuples gaulois de plus en plus nombreux se soulevaient et que les Santons eux-mêmes, entrés depuis deux ans dans l'alliance romaine, étaient de plus en plus tentés de se joindre à la coalition de Vercingétorix. Par un prisonnier capturé au cours d'une escarmouche, Indurus apprit que Diviac et ses compagnons avaient trouvé asile auprès des Santons et qu'ils résidaient maintenant dans un camp retranché au cœur de l'Entre-Deux-Mers, sur le site de l'ancien village vascon d'Espelet, patrie d'Amagoïa.

L'hiver passa, relativement clément. Chez les Gaulois comme chez les Vascons, on avait l'habitude de tuer les porcs gras dans le mois qui suivait le solstice et d'en faire des conserves. Mais, alors que les Gaulois préféraient saler la viande, les Vascons avaient coutume de préparer toutes sortes de saucisses, de boudins et de pâtés. Quelques légionnaires romains, originaires de Neapolis[1], avaient même introduit la préparation d'une sorte de saucisson qui se conservait longtemps et se mangeait sec jusqu'au cœur de l'été. Chez Haret, sous la direction d'Arima, Beatha et ses sœurs apprenaient la cuisine vasconne du cochon et enseignaient aux servantes les finesses de la salaison.

Le printemps arriva, calme, mais assombri par une sourde angoisse. Les nouvelles qui arrivaient de Tolosa, le long de la Garumna, n'étaient guère rassurantes. Partout, en Gaule, Vercingétorix paraissait tenir César en échec. Même les pacifiques Nitiobroges s'étaient laissé convaincre par les belliqueux Cadurques de se joindre à la coalition du chef gaulois. La garnison romaine d'Aginnum était sur la défensive et l'on voyait de nouveau sur le fleuve des bateaux portant une escorte de soldats. On disait que, gagnant vers le sud, Vercingétorix menaçait la Narbonnaise, pourtant depuis longtemps romanisée.

Il y eut un moment de soulagement quand, aux premières fraises, arriva la nouvelle de la victoire de César à Avaricum[2] et

---

1. Actuellement *Naples*.
2. Actuellement *Bourges*.

de l'impitoyable sac de la ville qui l'avait suivie. Mais l'élan de Vercingétorix n'en était pas pour autant rompu. Quelques semaines plus tard, alors que le blé commençait à mûrir, on apprit l'échec de César devant Gergovie[1]. Un messager de Tolosa apporta des ordres à Indurus. Il devait tenir deux de ses centuries prêtes à faire route vers Aginnum et, formant une cohorte avec deux manipules de la garnison de cette ville, en prendre le commandement avec le grade de tribun. Il rejoindrait ensuite la XIe légion qui se regroupait en Narbonnaise.

— Vais-je t'accompagner comme *custos corporis*, Indurus? demanda Egon.

— Rien ne s'y oppose, Egon, sinon les yeux de Beatha. Vous devez vous marier à l'automne. Si tu me suis, le mariage risque d'être retardé indéfiniment.

— Nous pourrions nous marier tout de suite.

— Parles en avec ton père. Parles en surtout avec Beatha.

Haret donna immédiatement son accord pour avancer le mariage, grommelant un vieux proverbe vascon selon lequel « quand les pommes sont mûres, il faut les ramasser ». Pour Beatha, ce fut autre chose. Elle regarda longuement Egon, ses yeux bleus chargés de tendresse mélancolique.

— Ton bonheur, dit-elle, est plus important pour moi que toute autre chose. Si tu peux le trouver dans la guerre, va le chercher. Je t'attendrai toujours.

Il la prit dans ses bras.

— Beatha, mon bonheur est auprès de toi. Ce n'est pas la guerre que j'aime, c'est toi, mais tu sais bien que si Vercingétorix l'emporte, il n'y aura ni bonheur, ni paix possible pour nous, ni pour les gens de ce pays. Le peu que je puis faire dans ce combat, c'est pour nous que je veux le faire.

Elle enfouit son visage dans le creux de son épaule.

— Nous nous marierons quand tu voudras, Egon, dit-elle d'une voix étouffée. Peut-être Indurus ne recevra-t-il jamais l'ordre de partir.

L'ordre de marche arriva trois jours plus tard. Consulté,

---

1. Actuellement *Clermont-Ferrand*.

Zuhur déclara que le moment était néfaste et que le mariage d'Egon et Beatha ne pourrait avoir lieu sous de bons auspices que le surlendemain. Indurus fit aussitôt interrompre les préparatifs de départ et demanda à Aberat de réunir le Sénat.

— Il ne faut pas plus de quelques heures à la légion romaine pour lever le camp, dit-il, et je comptais partir aujourd'hui même, mais je resterai jusqu'à après-demain afin que le mariage d'Egon et de Beatha puisse être célébré. Nous profiterons de ce délai pour inspecter et consolider les fortifications. Je laisse ici une centurie sous les ordres de Marcus Antonianus Faber que vous appelez Haber. Je ne sais combien de temps durera notre absence, ni même si nous reviendrons jamais ici. Mais je ferai en sorte qu'Egon revienne. Le sang vascon qui coule dans ses veines comme dans les miennes doit se perpétuer et je vois dans son union avec une Gauloise un heureux présage pour l'avenir des peuples de ce pays.

Egon et Beatha passèrent la soirée précédant leur mariage et leur séparation devant le feu de la maison d'Haret en compagnie d'Arkatz et d'Ezti. Idomar était venu se joindre à eux et le barbe Cymrith chanta en leur honneur.

C'était la nouvelle lune et la nuit était noire. De temps en temps, un éclair de chaleur, à l'horizon, éclairait un ciel où s'éfilochaient quelques nuages poussés par le vent du sud.

Soudain, dans le silence, il y eut un cri suraigu d'agonie, puis des aboiements de chiens.

— Cela vient du port, dit Arkatz en se levant.

Egon avait déjà bondi sur ses pieds et allait décrocher son épée, suspendue au linteau de la porte.

— *Agite! Eia agite!* le cri d'alarme des sentinelles romaines retentissait de toutes parts sur les fortifications.

Dans les ruelles obscures qui descendaient vers le ruisseau, des hommes demi-nus, leurs épées à la main, se heurtaient en jurant. Egon, se frayant un chemin, déboucha sur le bord du ruisseau au moment où, en une masse sombre, des dizaines d'hommes sautaient des radeaux avec une clameur sauvage et se ruaient à l'assaut des maisons. Là-haut, dans le camp romain, les *tubicenes* sonnaient.

Reconnaissant Arkatz à côté de lui, Egon lui cria :

— Tâche de rassembler des hommes. Il faut leur couper le chemin à l'embouchure !

Sautant de pierre en pierre, il gagna le pied de la palissade là où venait s'accrocher le rideau de fascines qui, la nuit, barrait l'entrée du port.

Il faillit heurter un homme qui se tenait debout, l'épée à la main, deux cadavres à ses pieds. C'était Idomar.

— Il y avait un traître parmi nous, dit le Lingon. C'est lui qui a tué la sentinelle et coupé les liens du barrage. Heureusement, sa victime a eu le temps de crier avant qu'il ne l'égorge. J'ai compris tout de suite. Je suis venu et le traître a payé.

Arkatz arrivait avec une dizaine de jeunes guerriers armés d'épées, d'épieux et de haches.

— Il faut les prendre à revers, haleta-t-il. D'ici un instant, les légionnaires les attaqueront d'en haut. Ils se retireront, mais ils auront eu le temps de faire du mal.

Une subite lumière rougeâtre les éclaira. C'était une maison qui flambait. Il y en eut une autre, puis une autre encore en direction du *biltoki etxea*.

— Par là ! s'écria Egon. Ils vont chez nous !

Il était impossible d'évaluer le nombre des assaillants. Il y en avait partout, hurlant comme des démons, tuant tout ce qu'ils rencontraient et jetant des torches enflammées sur le toit des maisons.

Côte à côte, Arkatz et Egon se frayaient un chemin à l'épée parmi les groupes compacts de Gaulois. Ces derniers ne semblaient avoir aucun plan d'attaque précis. Ils étaient venus pour massacrer et mettre à sac. La maison d'Haret était située à droite du *biltoki etxea*. La cohue y était plus dense encore qu'ailleurs. Egon entrevit Aberat qui menait une contre-attaque à travers l'esplanade. A côté de lui, Haret brandissait sa redoutable masse.

Enfin, dévalant la pente, la première colonne des légionnaires apparut, lances pointées. Elle s'enfonça comme un coin dans la mêlée. Derrière elle, décurie par décurie, la ligne des soldats romains commença à encercler méthodiquement les assaillants et à les repousser vers le port.

Egon, pas à pas, avançait vers la maison d'Haret. Il arriva juste à temps pour sauver Ezti qui, un poignard à la main, se défendait contre un colosse gaulois en qui Egon reconnut Virimar. La brute alla rouler sur le sol percée par l'épée d'acier.

— Arima! Beatha! cria Ezti. Viens vite!

Dans la salle dévastée, Egon vit Arima étendue sur le sol, entourée de Gwenidd, de Bryth et de Cymrith.

— Elle est blessée à mort, dit Cymrith, mais elle vit encore.

Egon se pencha sur sa mère adoptive. Elle était très pâle et un filet de sang coulait de sa bouche. Elle ouvrit les yeux et ses lèvres bougèrent.

— Beatha, souffla-t-elle.

— Beatha? Où est-elle, mère? demanda Egon.

— Beatha... Diviac l'a enlevée... j'ai essayé de la défendre...

— Elle a été blessée?

— Non... Il l'a emmenée... Va chercher ma fille, fils...

Sa tête retomba sur le côté. D'un doigt léger, Cymrith lui ferma les yeux.

— Les Gaulois n'ont pas réembarqué! s'écria Egon. Diviac est peut-être encore à terre!

Comme un fou, il se précipita dehors et dévala la ruelle en direction du port. Le combat avait tourné à l'avantage des Romains. De nombreux Gaulois restaient bloqués dans la ville haute, mais ils n'étaient plus dangereux, car ils étaient cernés. La plupart, pourtant, avaient échappé au piège et se pressaient vers le port dans l'obscurité. Il y eut des rixes entre Gaulois qui se disputaient les radeaux. A la vague lueur d'un incendie lointain, Egon crut distinguer une tache plus claire qui pouvait être la robe de Beatha. Hurlant son nom, il courut vers l'embouchure du ruisseau, mais déjà les radeaux surchargés prenaient le fil de la Garumna.

Il resta longtemps, la rage et le désespoir au cœur, puis, lentement, à travers la ville dévastée, il regagna la maison d'Haret. Indurus, Haber, Arkatz et Haret étaient là. Egon se précipita dans les bras de son père.

— Ta mère est morte en Vasconne, les armes à la main, dit Haret. Elle tenait encore le poignard avec lequel elle a essayé de défendre Beatha.

— Avant de mourir, elle m'a dit que c'était Diviac qui l'avait enlevée.

— Oui, dit Indurus. Nous avons trouvé trois transfuges lingons parmi les trente-cinq prisonniers que nous avons faits. La plupart sont des Cadurques et des Pétrocoriens, mais c'est Diviac qui a monté toute l'affaire. La barrière du port a été ouverte par un de ses complices qui était resté ici.

— Mais on ne peut pas les laisser partir ainsi!

— J'envoie à leur poursuite une *turma* de soixante cavaliers sous le commandement d'Idomar.

— Je veux aller avec eux!

— Rejoins-les au port. Dépêche-toi!

Sans perdre un instant, Egon courut au bord du ruisseau. On chargeait les chevaux sur des radeaux. Idomar lui en désigna un, le visage fermé.

La traversée, puis la chevauchée furent silencieuses. Dans la première clarté de l'aube naissante, on repérait assez facilement la trace des fuyards qui avaient laissé leurs chevaux sur l'autre rive. D'après les premiers renseignements arrachés aux prisonniers sous la torture, ils étaient venus de la place forte gauloise d'Espelet, à une vingtaine de milles de la Garumna.

Ils arrivèrent dans la matinée en vue de la haute palissade que les Gaulois avaient érigée en imitation des fortifications romaines. Tout paraissait désert. La colonne des cavaliers monta le raidillon et constata que le campement était abandonné. Les cendres des foyers étaient encore chaudes.

Dans le hameau santon qui se nichait au pied du monticule, ils furent accueillis maussadement. A force de palabres, pourtant, Idomar finit par apprendre que les Gaulois, une centaine de cavaliers, avaient levé le camp à l'aube et s'étaient dirigés vers le nord. Egon insista pour savoir si l'on avait vu une femme avec eux et un des villageois, après avoir été un peu bousculé, finit par se souvenir que la troupe était accompagnée d'un druide qui portait une femme en croupe.

— Dunmac! dit Egon. Je préfère encore la savoir entre ses mains qu'entre celles de Diviac.

Quand ils rentrèrent à Alingo en fin d'après-midi, trois croix avaient été dressées sur l'esplanade et trois hommes y agonisaient.

— Ce sont, leur dit Indurus quand ils allèrent lui rendre compte, les trois Lingons renégats que nous avons capturés.

— Et les autres prisonniers? demanda Egon.

— Je les ai vendus comme esclaves à Cerdo. Il s'en tire bien. Sa villa a été ravagée et les deux tiers de ses gens ont été égorgés, mais le vieux renard avait une cachette où il garde son magot et où il s'est réfugié. Il avait de quoi payer les esclaves gaulois. Il retrouve sa main d'œuvre et moi, cela me donne les moyens de payer les arriérés de solde de mes légionnaires. Nous nous mettrons en route demain matin, au premier soleil. Il est heureux, Egon, que j'aie retardé notre départ à cause de ton mariage. Les Gaulois n'avaient pas été avertis de ce retard. Ils pensaient ne trouver qu'une garnison réduite.

— Mon mariage, dit amèrement Egon. Quand aura-t-il lieu? Beatha est entre leurs mains.

— Raison de plus pour aller la chercher. Les prisonniers nous ont dit où allaient les Gaulois. Ils vont à Gergovie où Vercingétorix concentre des troupes. Je suppose que tu veux rester mon *custos corporis*?

— Je ne reviendrai pas à Alingo sans Beatha, Indurus.

Tharsos figurait parmi les victimes du raid. On l'incinéra le soir au bord de la rivière et Zuhur lui fit graver une pierre tombale avec une inscription qui disait: DEO IGNOTO.

— "Au dieu inconnu", dit-il. Je crois que c'était le sien.

Le lendemain matin, quand Egon alla seller son cheval pour rejoindre Indurus, il eut la surprise de trouver Arkatz et Ezti tous deux armés et équipés, prêts à l'accompagner.

— Par toi et Arkatz, lui dit Ezti, Beatha est ma sœur. Il m'importe autant qu'à toi de la sauver. D'ailleurs Arkatz avait décidé de partir avec toi et une femme vasconne ne quitte pas son mari. Tu connais la formule du mariage *gizon*: *hizateko nizateko*, où tu seras, je serai.

Emu aux larmes, Egon embrassa ses amis.

— Nous ramènerons Beatha, dit-il en enfourchant son cheval.

SUR LA ROUTE D'ALESIA

L E SURLENDEMAIN, la colonne des légionnaires d'Alingo fit
sa jonction avec les deux manipules prélevés sur la
garnison d'Aginnum, qui l'attendaient sur la rive gauche
depuis plus d'une semaine. Sur l'autre rive, Egon vit les puis-
santes fortifications que les Romains avaient dressés autour de
la capitale des Nitiobroges. Indurus reçut les deux autres chefs
de manipules et prit le commandement de la cohorte ainsi
formée. Il donna aussitôt l'orde de faire route.

— Les Nitiobroges, dit-il à Egon tandis qu'ils chevauchaient
côte à côte sur le sentier qui longeait le fleuve, ont envoyé un
contingent rejoindre Vercingétorix, mais le pays est calme et la
centurie que j'ai laissée là devrait suffire à assurer la sécurité de
l'*oppidum*.

C'est le dixième jour qu'ils franchirent la Garumna à gué
devant Tolosa. C'était comme passer d'un monde dans un
autre. Jamais Egon n'avait vu de maisons en pierres et en
briques. Il y en avait là par dizaines, ainsi que des temples, des
thermes et des fontaines. La campagne, bien entretenue, était
parsemée de villas couvertes de tuiles roses, à côté desquelles la
propriété de Cerdo qui avait paru à Egon la plus somptueuse
qu'on pût imaginer, eût fait piètre figure.

Dès qu'ils arrivèrent à Tolosa, Indurus alla prendre des ordres
chez le *praefectus*. Il revint, l'air soucieux.

— César, dit-il, a dû lever le siège devant Gergovie où il a
subi de lourdes pertes. On ne sait pas où il est maintenant. Il
doit faire sa jonction avec les quatre légions de Labienus quel-

que part du côté d'Agendicum[1], aux confins des territoires des Senones et des Eduens. Pompée lui envoie le reste de la XIe légion en renfort. C'est à elle que nous devons nous joindre. Elle a fait halte à Narbo et marche vers Lugdunum[2].

Il donna des ordres pour que la cohorte se mît immédiatement en route à marches forcées vers Arelate[3] où elle trouverait la grande voie qui, le long du Rhodanus[4], menait de Narbo à Lugdunum.

Chemin faisant, Egon admirait la large route pavée de grandes dalles qui traversait en droite ligne une campagne riante, parsemée de villas coquettes au milieu de cultures prospères. Ne tenant aucun compte de la configuration du terrain, la voie romaine franchissait collines et vallées avec des pentes parfois ardues. Mais le rythme de marche de la légion n'en était pas ralenti. Normalement, lui expliqua Indurus, les soldats romains abattaient leurs vingt milles par jour de sept heures, mais quand ils allaient à marches forcés, la journée était de dix heures ou même davantage. Pour surprendre les Gaulois, César avait, dit-on, une fois fait franchir cinquante milles à ses légions d'une aube à l'autre. Chaque légionnaire portait son chargement réglementaire de cent cinquante livres. Sept fois par jour, il y avait une courte halte, la quatrième étant un peu plus longue pour permettre un frugal repas de blé pilé avec du fromage.

Dans cette région où régnait la paix romaine, la cohorte ne prenait pas de précaution particulières pour se couvrir. Marchait en tête une avant-garde d'une dizaine de cavaliers qui escortaient l'aigle, marqué à sa base des initiales SPQR. Immédiatement derrière, chevauchait Indurus. Une plume blanche à son casque indiquait son grade et un manteau pourpre flottait sur ses épaules. A côté de lui carocolaient Egon, Arkatz et Ezti, tous trois vêtus de la tunique de bure des gens d'Alingo et

1. Actuellement *Sens*.
2. Actuellement *Lyon*.
3. Actuellement *Arles*.
4. Actuellement le *Rhône*.

90

cheveux au vent. Sur trois rangs, la première centurie suivait, les *optiones* en serre-file.

Arelate était la première grande ville qu'Egon voyait. Colonisée depuis le temps du général romain Marius qui l'avait reliée à la mer par un large canal, c'était la capitale de la Provincia. Les rues bien alignées étaient bordées de temples et d'édifices publics.

Un cavalier envoyé en éclaireur vint annoncer à Indurus que le gros de la XIe légion campait à la sortie nord de la ville que la colonne traversa donc dans toute sa longueur. Sur le *cardo maximus*, la foule s'écartait pour laisser le passage à la troupe. On distinguait facilement les esclaves demi-nus, la plupart des Germains, des citoyens romains portant la toge ou la chlamyde. Mais beaucoup de ces Romains étaient des Gaulois reconnaissables à leurs cheveux de toutes les nuances du roux à la filasse.

Quand ils longeaient des étalages de *cauponae*, Egon lorgnait avec envie vers les marmites fumantes et odorantes derrière lesquelles de jolies serveuses attendaient les clients.

Enfin, ils parvinrent à l'immense camp où était cantonnée la XIe légion. Tandis qu'Indurus allait prendre contact avec le tribun de service que, pour deux mois, avait le commandement de la légion, les soldats, pioche en mains, dressèrent leurs tentes à l'intérieur de l'enceinte. Les trois Vascons qui préféraient dormir à la belle étoile, se contentèrent d'étendre devant la tente d'Indurus les peaux de loup qu'ils portaient roulées sur leur dos.

Il faisait une chaleur accablante. Déjà, en ce temps de canicule, les Vascons, accoutumés à un climat plus humide, avaient souffert de la sécheresse de l'air. Il s'écoulait parfois plusieurs heures avant qu'on rencontrât une source ou un ruisseau où remplir les outres de cuir. Etendu sur sa peau de loup, Egon regarda longuement le ciel étoilé, écoutant le long crissement qui montait des collines pelées et qui, lui avait dit un vieux légionnaire, était le chant des *ciccadae*.

Il ne dormait pas encore quand Indurus revint.

— J'ai vu Marcus Livius Mentor qui commande la légion en ce moment, dit le tribun. Il vient de recevoir ses ordres. Dès demain, nous nous mettrons en route vers Lugdunum et, de là, nous passerons en territoire lingon pour rejoindre l'*oppidum* de Divio[1].

— Nous allons au pays des Lingons? demanda Egon.

— Oui. Idomar et ses auxiliaires vont se retrouver chez eux.

— C'est loin?

— Environ trois cent cinquante milles. A marches forcées, nous y serons en une douzaine de jours.

La canicule rendit la marche pénible pendant les premiers jours de la remontée de la vallée du Rhodanus. C'était un fleuve plus large encore que la Garumna et au cours plus impétueux. De temps en temps, les Vascons piquaient un galop pour aller faire patauger leurs chevaux sur les graviers. Ils ramenaient une outre pleine pour Indurus et reprenaient leur place auprès de lui au rythme lent et régulier du pas de la légion.

Le ciel était comme embrasé et, sur les pentes sèches où poussaient quelques arbres rabougris parmi des touffes pâles d'herbes odorantes, retentissait, assourdissant, le chant des cigales. Le sixième jour, heureusement, un gros orage vint rafraîchir l'atmosphère. Le ciel se couvrit de nuages et c'est sous une pluie fine que la légion arriva à Lugdunum.

C'était un *oppidum* gaulois occupé par une garnison romaine. Le Rhodanus y faisait un brusque coude vers l'eau au confluent avec la rivière Arar[2]. Un village allobroge éparpillait ses maisons entre les deux cours d'eau et un vaste camp romain s'étendait sur la rive droite du Rhodanus. Il était pour le moment occupé par quelques centuries de vétérans. La XIe légion s'y installa aussitôt, plaçant des sentinelles pour surveiller les Allobroges dont l'allégeance était douteuse.

Il y eut une réunion des tribuns dans la tente de Marcus Livius Mentor. Quand il revint, Indurus appela Egon, Arkatz et Ezti.

— Il nous reste, dit-il, six jours de marche jusqu'à Divio, dont les deux derniers seulement seront en territoire lingon. Pendant

1. Actuellement *Dijon*.
2. Actuellement la *Saône*.

quatre jours, nous cheminerons le long de l'Arar qui forme la frontière entre les Eduens et les Sequani. Les uns et les autres sont hostiles aux Romains et ralliés à la cause de Vercingétorix. La légion marchera en approche découverte. Notre cohorte formera l'avant-garde et une *turma* de cavalerie reconnaîtra la route à trois milles en avant tandis que six autres surveilleront les flancs. Mais il ne serait pas mauvais que les Lingons soient prévenus de notre arrivée et viennent à notre rencontre. Je vais donc envoyer devant Idomar et ses cavaliers qui connaissent bien le pays. Tu iras avec eux, Egon, afin de préparer le cantonnement avec le *vergobret* de Divio. Arkatz et Ezti resteront avec moi.

Au-delà de Lugdunum, la voie romaine s'interrompait et la route était un simple chemin de terre. Le paysage aussi changea. L'air était plus frais et plus humide et la forêt réapparut. Suivant le chemin au petit trot, la troupe des cavaliers lingons prit rapidement de l'avance sur la légion. Le deuxième jour, Idomar fit un détour par la gauche pour éviter les petites villes éduennes de Matisco[1] et de Cabilonnum[2]. La colonne suivit une petite vallée entre des montagnes boisées, passa un col et se retrouva le troisième jour sur les bords de l'Arar. Le lendemain soir, ils campèrent en lisière de la forêt devant des collines dégagées où poussait de la vigne.

— Nous sommes chez nous, dit Idomar. Les Eduens et les Sequani ne connaissent rien à l'art de la vigne. Nous autres, Lingons, l'avons appris des Romains et, sans valoir celui d'Italie ou de la Provincia, notre vin est tout-à-fait agréable.

Le lendemain, vers midi, ils étaient en vue de Divio. L'*oppidum* Lingon était entouré de petites fermes riantes que les guerriers d'Idomar considéraient avec émotion.

— C'est notre pays, dit le Lingon. Nous l'avons quitté il y a six ans pour suivre Crassus et quelque amour que nous ayons pour notre nouvelle patrie d'Alingo, c'est ici que sont nos racines.

---

1. Actuellement *Mâcon*.
2. Actuellement *Chalon-sur-Saône*.

Il indiqua un groupe de maisons couvertes de chaume sur une crête.

— C'est là que je suis né, Egon. Mes frères et mes sœurs y vivent sans doute encore.

Reconnaissant des Lingons, les sentinelles les laissèrent passer avec des cris de bienvenue. A peine furent-ils entrés dans l'*oppidum* qu'Idomar et ses compagnons rencontrèrent des amis. Idomar eut le plus grand mal à maintenir sa troupe en ordre jusqu'à ce qu'ils arrivent à la maison du *vergobret*.

Ce dernier, déjà prévenu, les attendait sur le pas de la porte. C'était un gros homme jovial à la face rubiconde et à la grosse moustache en bataille. Il donna l'accolade à Idomar.

— Frère, s'écria-t-il, je suis heureux de te revoir au pays!

— Je suis heureux d'y être, Victolitav, répondit Idomar, mais je crains que ce ne soit pas pour très longtemps. Nous précédons la XIe légion romaine qui se porte en renfort auprès de César contre Vercingétorix.

— Vercingétorix? Cette tête brûlée ne nous vaudra que des ennuis. Il a livré bataille à César il y a quelques jours tout près d'ici. Le combat a été terrible et l'on dit même que César y a perdu son épée, mais Vercingétorix y a perdu sa cavalerie. Il paraît qu'il est allé s'enfermer dans Alesia. Le pire est qu'il a quelques partisans même chez nous, surtout sous l'influence des druides.

— Notre druide à nous, Dunmac, est allé le rejoindre.

— Dunmac est une vieille tête de mule. Ça ne me surprend pas.

— Il a entraîné avec lui une douzaine d'hommmes, dont le jeune Diviac.

— Diviac? Le fils du prédécesseur d'Admatus? Quel âge a-t-il? C'était un enfant quand vous êtes partis!

— Il a plus de vingt ans. Il n'a jamais pardonné à Admatus d'avoir succédé à son père et de s'être enrôlé à côté des Romains.

— Comment va Admatus?

— Il est mort en brave.

— Et qui lui a succédé?

94

— Personne. Nous avons maintenant un chef élu à la manière romaine. C'est un Vascon.

— Un Vascon?

— C'est le nom qu'on donne aux peuples de l'Aquitania.

— Ce ne sont pas des Gaulois?

— Non. Celui-ci est un Vascon.

Il montrait Egon.

— En effet, dit Victolitav, il a plutôt l'air d'un Ibère.

— Il est fiancé à Beatha.

— La petite Beatha, la troisième fille d'Admatus? C'étais un joli bébé. J'espère qu'elle a tenu ses promesses: sa mère était très belle.

— Elle les a tenues, mais Diviac a enlevé Beatha.

— Et ce garçon est venu la chercher, je suppose. Si Dunmac et Diviac ont rejoint Vercingetorix, elle doit être à Alesia.

Victolitav donna immédiatement des ordres pour qu'un détachement de cavalerie parte à la rencontre de la légion. Puis il conduisit Idomar et Egon vers le rempart sud-ouest de l'*oppidum* et leur montra une petite plaine dégagée que la fortification dominait d'à peine une vingtaine de pieds.

— La dernière fois que les Romains sont venus, dit-il, ils se sont installés là. On voit encore le fossé qu'ils avaient creusé pour protéger leur *castrum*. La légion pourra y camper.

Ce soir-là, Idomar emmena Egon passer la soirée dans la ferme de sa famille. Victolitav les accompagna. Ce fut une grande fête. Il y eut des sangliers rôtis et, pour la première fois de sa vie, Egon goûta avec délices du pain blanc de froment levé à la bière. On servit de la cervoise, de l'hydromel et du vin vert, fait avec le premières grappes cueillies avant maturité. Les frères et les sœurs d'Idomar — il y en avait beaucoup — étaient joyeux et cordiaux.

Au cours du repas, Egon qui était assis par terre à côté de Victolitav, lui demanda:

— Si toute la Gaule est coalisée contre les Romains, pourquoi les Lingons ne sont-ils pas du côté de Vercingetorix?

— Il n'y a pas que les Lingons, répondit le *vergobret*. Immédiatement au nord, les Rèmes, les Trévires, les Eburons ont la même attitude que nous. Et sais-tu pourquoi?

Il montra la direction de l'est.

— A moins de quatre jours de marche d'ici, coule un grand fleuve, le Rhenus[1] et, de l'autre côté du Rhenus, il y a des centaines de milliers de Germains qui n'attendent qu'une occasion pour envahir la Gaule. Ils ont déjà essayé, mais, du temps de mon grand-père, ce sont les Romains qui, sous les ordres de Marius, ont vaincu les Cimbres et les Teutons et, il y a quelques années, c'est César qui a chassé de Gaule Arioviste, le chef des Suèves. Le pouvoir de Vercingétorix est trop faible et trop contesté pour opposer une barrière aux Germains. Ne crois pas que cela nous sourie tellement de nous placer sous la domination des Romains qui ne sont jamais que des barbares enrichis et vaniteux, mais c'est la seule protection sérieuse dont nous disposions. La paix romaine nous apporte pour le moment la sécurité et la prospérité et cela vaut bien un petit sacrifice de notre indépendance. Je ne sais si tu me comprends.

— Je te comprends très bien, Victolitav, dit Egon en songeant à tous les bienfaits que l'arrivée des Romains avaient apportés aux peuples de Vasconie, mais ne penses-tu pas que si les Gaulois étaient tous unis contre la menace des Germains, ils ne pourraient y faire face eux-mêmes ?

Victolitav eut un rire amer.

— L'idée d'unité n'existe pas chez les Gaulois. Vercingétorix n'est qu'un chef de bande un peu plus heureux que les autres. Même s'il oblige César à retirer ses légions, ce sera la curée autour de lui et les rivaux ne manqueront pas pour l'éliminer. Les seuls qui aient la vague idée d'une nation gauloise sont les druides, mais ils ont le plus profond mépris pour tout ce qui n'est pas celte. Pour eux, tous les autres peuples sont des barbares, y compris le tien, Egon.

— Nous ne sommes pas des barbares. Nous avons beaucoup appris des Romains comme des Gaulois, mais notre manière de vivre en vaut une autre.

Un gros rire souleva la bedaine de Victolitav.

— Elle en vaut certainement beaucoup d'autres. Je suis Gau-

---

1. Actuellement Le *Rhin*.

lois, tu es Vascon. C'est en mêlant nos différences sans les oublier que nous arriverons peut-être un jour à former une vraie nation. Je bois à ton mariage avec une Gauloise, Egon! Puissent vos enfants vivre dans la paix et le bonheur!

La légion arriva deux jours plus tard et s'installa sur le terrain préparé par Idomar et Victolitav. Ce ne fut qu'après avoir recreusé le fossé et dressé un nouveau *vallum* que les légionnaires purent prendre un repos bien mérité après trente-huit jours de marches forcées. Les journées commençaient à décliner vers l'automne. Les collines du pays lingon se teintaient de bleu dans la douceur du soir et, sur les pieds de vigne, les grappes mûrissaient lentement.

La contrée était riche en venaison et en récoltes. Les soldats en profitaient pour garnir leurs estomacs qui n'avaient connu pendant des semaines que la semoule grossière du *pulmentum* règlementaire. Quelques cuves de vin vert furent récoltées et fermentées sur l'ordre de Victolitav à leur intention. Sa saveur aigrelette et légèrement piquante les changaient agréablement de l'eau vinaigrée qui était leur ordinaire en campagne.

Le dix-huitième jour, un messager de César arriva, apportant des ordres. La XIe légion devait faire mouvement sur Alesia pour y rejoindre le gros des troupes. C'était le tour d'Indurus de commander la légion. En moins d'une demi-journée, le camp fut levé et la colonne, longue de près de trois milles, prit la direction du nord-ouest en terrain vallonné. Alesia n'était guère qu'à trente-cinq milles de Divio, mais Indurus préféra contourner par le sud la montagne qui séparait les deux villes.

A l'approche immédiate d'Alesia, l'avant-garde de cavalerie signala la présence de troupes nombreuses à quelques milles en avant. Puis les flanc-gardes de gauche donnèrent l'alerte: au-delà de la crête, dans une direction parallèle à elle de la légion, des cavaliers gaulois chevauchaient vers Alesia. On ne distinguait pas encore la ville, mais on approchait du bord du plateau et l'on apercevait par instant la plaine par les échancrures des vallons. Indurus désigna du doigt une hauteur sur la droite.

— De là, dit-il, on doit voir. Je vais me rendre compte moi-même.

Suivi d'une dizaine de cavaliers et escorté par les trois Vascons, il piqua des deux en direction du monticule. Il ne s'était pas trompé : à mesure qu'on approchait du sommet, on découvrait la plaine. Ils arrivèrent enfin au pied d'un gros rocher d'où l'on pouvait voir tout le pays environnant à l'ouest et au nord-ouest. Egon ne put retenir un cri de surprise : à perte de vue, sur toutes les pentes, le long de toutes les vallées, des masses compactes de Gaulois convergeaient vers une motte de terre allongée qui devait être l'*oppidum* d'Alesia. Le trait noir des fortifications en dessinait le contour ovale. Formant une sorte de rosace compliquée, les circonvallations romaines entouraient Alesia d'une ligne double, triple et parfois quadruple de défenses à l'intérieur desquelles se trouvaient incluses des redoutes et des places fortes où devaient être cantonnées les légions. Au sud-est, on distinguait une sorte de chicane qui devait permettre l'entrée ou la sortie des troupes.

Une horde de cavalerie gauloise débouchait de la vallée voisine, déferlant dans cette direction. Les cavaliers étaient encore loin, mais il n'y avait pas à se méprendre sur leurs intentions : ils allaient faire leur jonction avec les troupes d'infanterie, plusieurs dizaines de milliers d'hommes, qui commençaient à contourner les fortifications romaines par le nord-est. Dans deux heures au plus, l'*oppidum* et le camp des assiégeants seraient encerclés.

Indurus retourna au triple galop vers la colonne, toujours suivi d'Egon. Il donna des ordres. Cinq *turmae* de cavalerie s'élancèrent pour couper la route aux Gaulois. En même temps, la légion se mettait en route au pas accéléré. Très vite, les hommes de tête découvrirent Alesia. Trois milles les séparaient de la chicane.

Sur la gauche, la cavalerie déployé attendait le choc des Gaulois qui chargeaient à bride abattue. La rencontre se produisit au moment où la première cohorte était à un demi-mille de la chicane. On distinguait sur la palissade les défenseurs qui faisaient des gestes d'encouragement. Deux catapultes entrèrent en action, mais les énormes blocs de pierre qu'elles lançaient tombèrent à près de deux cents pas des assaillants.

La ligne des cavaliers romains flotta sous l'impact et se rompit en plusieurs endroits, laissant passer des groupes de Gaulois qui foncèrent vers la colonne. Indurus fit un geste à Idomar et cria à Egon :

— Suis-moi !

Suivant Indurus, les trente auxiliaires lingons engagèrent le premier groupe de cavaliers gaulois qui s'était imprudemment avancé. Dans la mêlée, Egon, se tenant à la droite du tribun, le protégeait de son mieux contre les assauts des Gaulois. Il en embrocha deux avant de s'apercevoir qu'Arkatz faisait de même à gauche et c'est seulement quand Ezti plongea son épée dans le dos d'un Gaulois qui essayait d'atteindre le tribun par derrière, qu'il s'aperçut qu'elle était là.

Le premier groupe de Gaulois était à peine dispersé qu'un deuxième arrivait. Mais, cette fois, les catapultes étaient à bonne portée. L'avalanche de pierres qui s'abattit sur eux fit hésiter les Gaulois.

Egon jeta par-dessus son épaule un regard vers la chicane. La première cohorte était déjà entrée. Faisant regrouper ses cavaliers à portée d'arc des légionnaires, Indurus chargea de nouveau. Cette fois, ce furent les Gaulois qui reculèrent.

Quand la dernière cohorte, formant la tortue, pénétra à son tour dans la chicane, les assaillants firent une nouvelle tentative. Indurus les repoussa par une dernière charge, puis, tournant bride, les Lingons et la cavalerie romaine s'engouffrèrent à leur tour dans l'étroit passage. Deux lourdes herses tombèrent derrière eux.

La XIᵉ légion était prisonnière dans le camp de César.

CESAR ET VERCINGETORIX

L A VOIE dans laquelle s'engagea la XIe légion entre les fortifications intérieures et extérieures était large d'à peine quarante pieds. Le centurion chargé de guider la troupe jusqu'à son cantonnement indiqua que l'ensemble des circonvallations romaines formait une circonférence de plus de seize milles. Les onze légions qui composaient maintenant la garnison étaient réparties entre une vingtaine de *castra*, fortins et redoutes.

Chemin faisant, il montrait à Indurus et à ses compagnons les formidables défenses construites par les soldats de César de part et d'autre du camp retranché. Contre la palissade, deux fossés profonds de six pieds et distants de treize pieds formaient la dernière défense, le second pouvant être inondé en cas de besoin. En avant, les *cippes* constituaient un fouillis de branches sèches soigneusement aiguisées, d'une largeur de quinze pieds. Au-delà, les *lilia* étaient des trous en quinconces du fond desquels affleuraient des poteaux pointus. Enfin, au-delà encore, les *stimuli* consistaient en un champ de piquets acérés plantés suffisamment près les uns des autres pour interdire l'approche de la cavalerie.

Ce dispositif enserrait complètement Alesia. Tous les cinquante pieds, sur la palissade, une tour de bois permettait la surveillance et le tir à l'arc. C'est là qu'étaient disposées les catapultes, balistes, scorpions et autres machines de guerre destinées à lancer des projectiles.

La tente de César, expliqua le centurion, se trouvait sur une esplanade face à ce qui avait été la porte sud de l'*oppidum*. Le cantonnement assigné à la XIe légion était une autre esplanade au nord-est de la fortification. Le terrain était inégal et l'espace mesuré. Les *munitores* d'Indurus firent des prodiges pour aligner les tentes d'une manière à peu près ordonnée. Quand le travail fut fini, on apporta le ravitaillement et les soldats firent grise mine devant les rations allouées : deux poignées de seigle concassé par homme. Seule, l'eau ne manquait pas : un ruisseau passait au pied de la palissade.

— Encore faut-il que les Gaulois n'aient pas l'idée de l'empoisonner, dit le centurion d'un ton lugubre.

— Ils risqueraient de s'empoisonner eux-mêmes, fit observer Indurus.

— Ils ont des puits forés à l'intérieur de l'*oppidum*. Ils auront de quoi boire. C'est la nourriture qui leur fera défaut. Ils sont plus de quatre-vingt mille guerriers tassés dans l'*oppidum*, sans compter la population civile. Vercingétorix a tenté d'évacuer les femmes, les enfants et les vieillards, mais César les a fait refouler.

Le camp était à peine dressé qu'un messager vint chercher Indurus de la part de César.

— Accompagne-moi, Egon, dit le tribun. C'est probablement la seule occasion de ta vie que tu auras de voir l'*imperator*. Si nous gagnons, il s'en ira triompher à Rome. Si nous perdons, nous serons tous morts, lui le premier.

Ils se faufilèrent à travers le dédale du camp romain. Assis devant leurs tentes, les soldats avaient l'air las et affamé. Pourtant l'implacable discipline de la légion les maintenait en alerte et prêts au combat.

Devant la grande tente de César, face à la tribune d'où il pouvait haranguer les troupes, des gardes empanachés à la cuirasse étincelante, étaient figés au garde-à-vous.

— Ce sont les prétoriens, dit Indurus. Ils assurent la protection immédiate de l'*imperator*.

Impassibles, les gardes décroisèrent leurs lances pour les laisser passer dès qu'Indurus eut décliné son nom et son grade.

Il y avait plusieurs officiers à l'air imposant autour de César qui était assis sur une chaine curule devant une table basse. Des esclaves numides allaient et venaient, portant des boissons et des aliments les uns et les autres frugaux, pour autant qu'Egon put s'en rendre compte.

Ce qui le frappait, chez César, c'était la maigreur vigoureuse de cet homme de cinquante ans dont le front commençait à se dégarnir.

Quand Indurus se présenta, César leva vers lui des yeux perçants.

— Ah! dit-il, voici notre Vascon d'Hispanie. *Ave, Indure*, le regretté Crassus m'a parlé de toi avec les plus grands éloges. Il disait que tu avais du courage, mais aussi de la tête. C'est pourquoi j'ai fait de toi un tribun. Tu auras l'occasion de montrer tes qualités durant ta période de commandement de la XIe légion. D'ici une semaine, il faut que les choses soient décidées. Si l'armée gauloise qui vient d'arriver devant nos retranchements, se met en tête de nous assiéger, je serai forcé de tenter une sortie et de lever le siège dans des conditions déplorables, car, même aux quarts de rations, nous ne pouvons pas tenir plus de huit jours. S'ils sont assez bêtes pour attaquer, nous devrons les repousser à un contre quatre. Une bonne déroute de son armée de secours sera le seul moyen de décourager Vercingétorix.

— Tu penses qu'il est prêt à se rendre, *imperator*? demanda Indurus.

— Sa situation en ravitaillement est pire que la nôtre. Il peut tout au plus tenir cinq ou six jours. Passé ce délai, si nous entrons dans Alesia, nous risquons de n'y trouver qu'une population de squelettes. Même nos espions n'ont plus la force de traverser les lignes. Et pourtant j'aurais bien besoin de savoir ce qui se passe là-bas. Il faudrait envoyer quelqu'un, mais qui?

Alarmé par la description de la famine qui régnait dans Alesia et songeant à Beatha, Egon, obéissant à une impulsion soudaine, avança d'un pas.

— J'irai, *imperator*, si tu veux.

Le regard de César se posa sur lui.

— Qui est celui-là? demanda-t-il. Ce n'est ni un Gaulois, ni un Romain.

— Egon est mon *custos corporis*, César. C'est un Vascon.

— Un Vascon d'Hispanie, comme toi?

— Non, un Vascon des bords de la Garumna, César, de ceux que Crassus a soumis.

— Ainsi, mon garçon, dit César, tu es volontaire pour entrer dans Alesia et en revenir. Tu sais que cela risque fort de te coûter la vie? Est-ce l'amour de Rome qui te pousse à courir un pareil danger?

Ce fut Indurus qui intervint.

— Egon a des raisons de penser que sa fiancée est prisonnière dans Alesia. Il espère sans doute la sauver.

— C'est une Vasconne?

— Non, César, c'est une Gauloise, la troisième fille du chef lingon Admatus.

La mémoire de César paraissait aussi vaste qu'infaillible.

— Admatus, dit tu? Voyons, si je me souviens bien, c'est lui qui commandait les auxiliaires lingons qui accompagnaient Crassus.

— C'est cela, César. Il a été tué au combat et des renégats lingons ont enlevé sa fille, Beatha, qui était fiancée à Egon. On pense qu'ils ont rejoint Vercingétorix.

César réfléchissait, un léger sourire sur les lèvres.

— Oui, dit-il enfin. On ne doit pas négliger les miracles que l'amour peut accomplir. Mais ce garçon ne passera jamais pour un Gaulois. Il se fera repérer tout de suite. A la rigueur, Il pourrait passer pour un esclave ou un guerrier allié d'une tribu lointaine, comme les Boïens par exemple. Mais il faudrait un vrai Gaulois pour mener l'expédition.

— Je pense qu'Idomar serait volontaire.

— Idomar?

— C'est le chef du détachement lingon que j'ai amené avec nous.

— Il est sûr?

— Sur mon honneur, César, je garantis sa fidélité.

Le front de César s'était plissé et il jouait pensivement avec un stylet.

— Hum... on pourrait faire d'une pierre deux coups, dit-il

enfin. Entre un Lingon et un Eduen, il n'y a pas beaucoup de différence. Ton Idomar pourrait se faire passer pour un messager de Vercassivelaun, le chef arverne. S'il parvenait à convaincre Vercingétorix qu'il y a aucun espoir d'un secours rapide et que nous sommes en mesure de soutenir le siège pendant des semaines s'il le faut, son moral n'y résisterait pas. Crois-tu que ce soit possible, Indurus?

— Il faut que j'en parle à Idomar, César.

Le soir même, on tint conférence dans la tente d'Indurus. Sans hésiter, Idomar accepta la mission qui lui était proposée.

— Je n'aurai pas grand chose à changer dans mon équipement pour avoir l'air d'un Eduen, dit-il, et leur dialecte ressemble beaucoup au nôtre.

— Mais si tu rencontre Diviac ou un de ses amis lingons, tu risques d'être reconnu.

Idomar eut un petit rire.

— N'aie crainte, Indurus, j'ai parmi mes guerriers un ancien perruquier qui est expert dans l'art de changer les visages. Même toi, tu ne me reconnaîtrais pas.

— Et Egon?

— Il suffira de l'accoutrer d'un casque à cornes, d'un justaucorps de cuir et de braies pour le rendre méconnaissable et en faire un Boïen tout à fait convaincant.

Arkatz et Ezti qui assistaient à la discussion se consultèrent du regard, puis Arkatz dit:

— Une escorte d'un seul guerrier pourra paraître suspecte. Je propose qu'Ezti et moi accompagnions Egon.

— Oui, dit Indurus, j'y ai songé. Si vous devez chercher Beatha parmi les quelque quatre-vingt mille personnes qui sont enfermées dans la ville, vous ne serez pas trop de quatre, mais Ezti pourra-t-elle se faire passer pour un guerrier?

— Je crois avoir prouvé que j'étais un guerrier qui en valait un autre, dit fièrement la jeune femme. Le vêtement gaulois dissimulera mes formes.

— Qu'il en soit donc ainsi. Vous partirez cette nuit même.

A la nuit tombée, une patrouille conduisit Idomar et ses compagnons par un chemin compliqué à travers les obstacles.

Au bout d'une heure de tours et de détours, ils débouchèrent sur l'étroit espace libre qui séparait les fortifications romaines des fortifications gauloises. Ces dernières s'étendaient à peine sur une cinquantaine de pieds. La lune était presque pleine et l'on y voyait très clair.

— La porte de l'*oppidum* est à deux cents pas sur la droite, souffla le décurion qui commandait la patrouille. Bonne chance !

On distinguait la masse des deux tours jumelles qui flanquaient la porte. Prudemment, à cause des obstacles cachés, mais sans chercher à se dissimuler, les quatre compagnons suivirent la ligne des défenses gauloises.

Arrivé en face de la porte, Idomar héla les sentinelles. Une silhouette apparut aussitôt en haut de la tour de gauche.

— Qui va là ?

— Je suis un messager éduen envoyé par Vercassivelaun à Vercingétorix, répondit Idomar sans trop élever la voix, mais assez fort pour être entendu.

La silhouette disparut puis, au bout d'un moment, quatre ou cinq personnes se montrèrent en haut de la tour.

— Qui es-tu ? demanda une voix.

— Je m'appelle Velitav. Je suis Eduen. C'est Vercassivelaun qui m'envoie.

— Comment as-tu passé les lignes ?

— J'ai eu du mal. On m'a repéré.

A ce moment, comme il avait été convenu avec les sentinelles romaines, une volée de flèches vint se ficher dans le sol à quelques pas du groupe.

— Vous voyez ? s'écria Idomar. Si vous ne me faites pas entrer, ils vont me tuer.

— Et ceux qui sont avec toi, qui sont-ils ?

— Ce sont des Boïens qui me servent d'escorte.

— Attends !

Une demi heure s'écoula, puis une tête réapparut.

— On va lancer une planche pour vous permettre de franchir les obstacles, mais dépéchez-vous, la porte ne sera ouverte que quelques instants.

Il y eut des grincements et de heurts de bois, puis une sorte de passerelle rudimentaire fut poussée en avant par-dessus les obstacles. Idomar et ses compagnons s'y engagèrent, non sans difficulté, car la planche était étroite et instable et il était difficile de s'y maintenir en équilibre. De part et d'autre, les pieux aigus des chausse-trappes constituaient un péril mortel.

En une cinquantaine de pas, ils parvinrent à la porte qui était entrouverte. On les tira brutalement à l'intérieur tandis que la planche était retirée et la porte refermée.

Un grand guerrier blond qui paraissait être un chef, demanda rudement:

— Qui es-tu?

— Je l'ai déjà dit: je suis Velitav, un Eduen de Bibracte[1]. J'ai un message pour Vercingétorix de la part de Vercassivelaun.

— Hum... bon. On va avertir Vercingétorix de ton arrivée. Suis ces hommes.

Les ruelles étaient encombrées de guerriers qui dormaient à même le sol, l'air exténué. Par moments, on voyait un enfant ou une femme squelettiques dont on ne pouvait dire à première vue qu'ils étaient vivants ou morts. Une puanteur insidieuse planait sur la ville.

Traînant la savate, les deux guerriers moustachus les conduisirent jusqu'à une maison basse. On les poussa à l'intérieur. A la lumière de lune qui passait par une étroite fenêtre, ils distinguèrent une sorte de cellule aux murs de pisé. La porte se referma derrière eux et un verrou claqua.

— Nous voilà prisonniers, dit Idomar, mais je pense qu'ils ont cru à mon histoire.

Les heures passèrent. En se hissant jusqu'à la fenêtre, Egon put jeter un regard à l'extérieur.

— Nous sommes sur une sorte de place, dit-il. En face, il y a une construction qui ressemble à un temple. J'ai vu deux druides en sortir.

Ils finirent par s'endormir. L'aube n'était pas loin quand le bruit du verrou les éveilla.

— Venez, dit le guerrier qui les avait escorté à leur arrivée.

1. Actuellement *Autun*.

Le chemin fut court. A gauche du bâtiment qu'Egon avait pris pour un temple, s'élevait une maison un peu plus haute que les autres. Leur guide poussa une porte et aussitôt ils furent éblouis par la lueur des torches qui, accrochées aux murs, émettaient une flamme fuligineuse.

Des hommes étaient assis sur des escabeaux autour d'une table. Tous portaient des insignes de chefs. Ils levèrent la tête à l'arrivée des nouveaux venus. L'un d'entre eux qui paraissait le plus jeune, dit à Idomar :

— Je suis Vercingétorix. Tu dis que tu as un message pour moi de la part de Vercassivelaun. Je t'écoute.

Egon regarda avec curiosité le célèbre chef gaulois. Il ne ressemblait guère à l'effigie qu'il avait vue jadis sur le statère d'or. Le visage était fin, mais le nez proéminent et busqué et les lèvres charnues. Un pli d'amertume au coin des lèvres donnait à la bouche une sorte de sourire triste. Le regard était pénétrant et calculateur.

— Salut, Vercingétorix, dit Idomar. Vercassivelaun m'envoie te dire qu'une armée de deux cent cinquante mille hommes est arrivée devant Alesia et encercle César.

— Encercler César, c'est bien, mais nous sommes nous-mêmes encerclés. Nous n'allons pas pouvoir tenir bien long-temps. César non plus, d'ailleurs, à moins qu'il n'ait reçu du ravitaillement.

— La XIe légion qui a réussi à entrer hier dans son camp en a apporté, m'a-t-on dit, pour plusieurs semaines.

— Alors, il faut que nos frères de l'extérieur lancent l'assaut. Nous attaquerons nous-mêmes par l'intérieur. Mais il ne faut pas qu'ils tardent trop. Vercassivelaun t'a-t-il dit quand il comptait attaquer ?

— Les chefs éduent ont décidé de donner l'assaut dès qu'ils auront rassemblé leurs forces.

— Quand ? Te l'a-t-on dit ?

— Je l'ignore, Vercingétorix. Peut-être demain, mais peut-être aussi dans plusieurs jours.

— Dans quelques jours, il sera trop tard. Vercassivelaun aurait pu se dispenser de t'envoyer, Velitav. Je te remercie tout de même. Tu peux te retirer.

108

On les ramena dans la pièce où ils avaient passé la nuit, mais, cette fois, on ne mit pas le verrou. Une aube claire commençait à poindre par la fenêtre.

— Il serait peut-être temps d'aller faire une reconnaissance, dit Egon.

— J'y vais, dit Arkatz. Si je rencontre Diviac, il me connaît moins bien que toi.

Après avoir embrassé, Ezti, il se glissa dehors. Egon, par le fenêtre le suivit des yeux sur la petite esplanade. Il disparut bientôt dans une ruelle.

L'attente fut longue avant qu'il ne revienne une heure plus tard, alors qu'un jour ensoleillé était déjà levé.

— J'ai vu Dunmac, dit-il. Il entrait dans la maison d'en face. Elle a l'air d'être occupée par des druides et quelques guerriers. Si Beatha est gardée quelque part, c'est probablement là.

— J'y vais, dit Egon.

— Pas maintenant. Il y a trop de monde. Tu n'aurais pas une chance. Nous allons surveiller les allées et venues.

Deux heures après le lever du soleil, il y eut une subite agitation dans la ruelle. La porte s'ouvrit et le guerrier arverne qui leur avait servi de guide, leur dit :

— Vercingétorix vous attend sur la tour du sud.

Ils les conduisit à travers les étroites venelles où se bousculaient des soldats en armes. On montait à la tour par une échelle de bois. Sur la plateforme supérieure, se tenait Vercingétorix avec ses principaux lieutenants. De là, on découvrait les fortifications et tout le pays environnant.

— Nos frères vont attaquer, Velitav, dit Vercingétorix, mais ils s'y prennent bien maladroitement. Pour nous dégager, il faudrait une attaque d'infanterie sur les fortifications. Or ils ne semblent engager que de la cavalerie. Il y a deux cent cinquante mille hommes qui restent en spectateurs sur les collines qui entourent la ville et à peine huit mille cavaliers déployés dans la plaine. Je reconnais Lucter avec les cavaliers d'Alesia que j'ai renvoyés quand César est arrivé. Ce n'est pas avec la cavalerie qu'on gagne une guerre de siège. Vercassivelaun devrait le savoir.

En face des Gaulois, César déployait deux légions derrière lesquelles se massaient cent *turmae* de cavalerie romaine et des auxiliaires qu'Idomar ne reconnut pas.

— Ce sont, dit Vercingétorix, des mercenaires germains que César n'hésite pas à employer contre nous. Puissent les Romains ne pas regretter un jour de leur avoir ouvert les portes de la Gaule !

Le combat commença vers midi et, dès que la cavalerie gauloise chargea, Vercingétorix donna de son côté le signal de l'assaut. Abrités derrière des fascines, poussant des planches devant eux, les soldats d'Alesia avancèrent à travers les défenses romaines vers le *vallum* qu'ils commencèrent à combler.

La bataille sembla d'abord tourner en faveur des Gaulois. Les archers dispersés dans les rangs de la cavalerie faisaient des ravages parmi les Romains qui, peu à peu, reculaient vers leurs retranchements. C'est alors qu'au moment où le jour commençait à décliner, César fit charger ses auxiliaires germains. La ligne gauloise fut enfoncée, disloquée, dispersée et le carnage commença. Vercingétorix se détourna.

— La bataille d'aujourd'hui est perdue, dit-il, mais notre infanterie est intacte. Il faut tenir encore un jour de plus.

Idomar et ses compagnons retournèrent à leur cellule. Dans la nuit, il y eut une agitation constante, avec de grands coups de marteaux, ce qui laissait penser qu'on montait des machines de guerre.

Arkatz, Ezti et Egon en profitèrent pour sortir. Personne ne fit attention à eux. Ils se dirigèrent vers la maison où Arkatz avait vu Dunmac entrer. Ils en firent le tour dans l'ombre. Une fenêtre était éclairée. Se dressant sur la pointe des pieds, Arkatz jeta un coup d'œil.

— Diviac est là, dit-il, avec deux Lingons. C'est certainement dans cette maison qu'ils gardent Beatha.

Ils firent le tour de l'édifice dont la forme était biscornue. Finalement, Egon avisa, assez haut placée, une étroite ouverture par laquelle filtrait une faible lueur. Se hissant sur les épaules d'Arkatz, il parvint à amener son visage jusqu'à la hauteur de l'ouverture. La lueur venait d'une sorte de quinquet qui brûlait sur une table au centre d'une petite pièce. Contre le mur du fond, il distinguait vaguement une masse sombre allongée, puis, ses yeux s'habituant, il vit les cheveux d'or épars sur une couverture grossière.

— Beatha! souffla-t-il le plus fort qu'il osât.

Sa gorge était nouée d'émotion. Il sentait sous lui Arkatz tendu et vigilant.

— Beatha! répéta-t-il.

Ezti lui tendit un petit caillou.

— Lance-le.

Egon saisit le caillou, puis, s'agrippant de la main gauche au bord de l'ouverture, il le lança dans la direction de la couche. Après avoir rebondi avec un bruit sec sur le plancher, le caillou alla se perdre dans la chevelure.

Cette fois, la dormeuse réagit. Elle se tourna, puis, au bout d'un moment, s'assit sur la couverture.

— Beatha!

Comme éperdue, elle regarda dans la direction de la fenêtre. Egon passa une main et lui fit signe d'approcher. Elle se leva, traversa la pièce et regarda la lucarne.

— Qui est-ce? demanda-t-elle.

— Beatha! C'est moi, Egon!

— Egon! Mais comment es-tu arrivé ici?

— Idomar, Arkatz et Ezti sont avec moi. Nous sommes venus te délivrer! On ne t'a pas fait de mal?

Il voyait maintenant son visage pâle et amaigri, mais toujours lumineux.

— Non. Dunmac attend l'équinoxe d'automne pour me marier avec Diviac.

— L'équinoxe, c'est demain ou après-demain. Nous t'aurons délivrée avant! Je t'aime, Beatha.

— Je t'aime, Egon, et je mourrai plutôt que d'en épouser un autre!

— Courage!

On entendait des pas dans la venelle. Egon sauta à terre et, suivi de ses compagnons, regagna la cellule où les attendait Idomar.

111

LA LIBERATION

L E DEUXIÈME jour fut celui du combat des machines de guerre. De part et d'autre, on s'affronta à la catapulte, à la baliste et même à la fronde. L'armée de l'extérieur parvint à ouvrir deux brèches dans le rempart romain, mais non à y prendre pied.

Vercingétorix reprit inlassablement son assaut de la veille, ses soldats continuant à détruire ou à combler les défenses romaines là où ils avaient déjà commencé le travail. Beaucoup tombèrent sous les flèches et les balles de plomb lancées par les frondes, mais ils avançaient. L'objectif de Vercingétorix était une terrasse du retranchement romain d'où il dominerait la plaine et, par un ultime effort, serait en mesure de faire sa jonction avec l'armée de secours quand elle donnerait l'assaut.

L'assaut eu lieu dans la matinée. Vague après vague, soixante mille hommes soigneusement triés et menés par le chef atrébate Comm qu'on reconnaissait aux ailes d'aigle plantées sur son casque, déferlèrent vers les retranchements romains. Mais ils se dispersaient sur les pièges, empalés sur les *lilia* ou déchiquetés par les *cippes*. Les archers romains achevaient le massacre.

Finalement, au milieu de l'après-midi, quand Vercingétorix vit Comm reculer, il donna l'ordre à ses propres troupes de se retirer. Ce fut la mort dans l'âme, car il avait presque atteint la terrasse romaine.

— Demain, dit-il à Idomar qui l'avait rejoint sur la plate-forme, demain, il faudra vaincre ou mourir. Je pense que Vercassivelaun l'a maintenant compris.

Egon, Arkatz et Ezti avaient mis à profit la journée pour

113

surveiller la maison où Beatha était retenue prisonnière. Elle n'était habitée que par une dizaine de druides qui s'absentaient la plus grande partie de la journée, probablement pour aller encourager les combattants. Il n'y avait pas de sentinelle à la porte et la garde du bâtiment ne semblait assurée que par Diviac et ses deux compagnons lingons qui ne participaient pas aux combats. Ils ne notèrent, pendant cette journée, nul préparatif particulier. Idomar, consulté, leur indiqua que l'équinoxe ne se produirait que le surlendemain, ce qui leur laissait une marge supplémentaire.

Un gros bloc de rocher, lancé par une catapulte romaine, avait ouvert un trou dans la maison des druides, heureusement du côté opposé à celui où se trouvait Beatha. Ils décidèrent d'entrer par là. La meilleure heure semblait être celle du milieu de la matinée, quand le combat faisait rage et que les druides étaient sortis. Ils emmèneraient Beatha jusqu'à leur cellule, la couvriraient d'un manteau qui dissimulerait ses formes et ses cheveux, puis, profitant du tumulte, essaieraient de rejoindre les lignes romaines à travers la mêlée des combattants.

Ce fut longtemps avant l'aube, dans un ciel illuminé par la pleine lune que les cornes et les trompettes sonnèrent de part et d'autre. Aussitôt, la ville s'emplit de rumeurs et de cris. Idomar partit aux nouvelles.

Il faisait grand jour quand il revint.

— Vercassivelaun, dit-il, a lancé l'assaut général contre les positions romaines et il a pris pied dans plusieurs redoutes extérieures. De leur côté, les Gaulois d'Alesia ont atteint la terrasse et les légionnaires se battent au corps à corps contre eux.

— C'est le moment, dit Egon.

— Non. Il faut attendre que la mêlée soit plus générale et voir si la bataille tourne en faveur de César. Venez avec moi jusqu'à la tour. Nous déciderons alors.

Vercingétorix n'était plus sur la plateforme autour de laquelle sifflaient les projectiles lancés par les Romains. Un soldat apprit à Idomar que le chef gaulois était allé prendre personnellement le commandement des troupes d'assaut sur la terrasse.

— Voici donc les deux adversaires face à face, dit Idomar. Regardez : on voit César avec ses prétoriens. Il gagne du terrain.

Du doigt, il montrait les rangs romains où l'on voyait le manteau pourpre du proconsul entouré des cuirasses brillantes de la garde.

Ailleurs, la situation était plus confuse. Au nord-ouest, Vercassivelaun paraissait avoir le dessus. Les Gaulois pénétraient profondément dans les défenses romaines et, à un certain moment, il parut que l'armée de secours allait faire sa jonction avec les assiégés d'Alesia. Mais Idomar montra des cohortes qui se formaient sur la droite.

— Il y en a près de quarante, dit-il. Je parie que c'est Labienus qui prépare la contre-attaque. Et la cavalerie s'apprête à intervenir. C'est le moment. Allez-y. Je reste ici. Je vous rejoindrai à la cellule dans une heure.

Se hâtant dans les ruelles où s'entassaient maintenant des cadavres de femmes, d'enfants et de vieillards morts de faim, les trois Vascons foncèrent vers la maison des druides. S'engouffrant par la brèche, ils firent irruption dans la pièce où se tenait Diviac avec ses compagnons. Le combat s'engagea aussitôt à l'épée et au poignard.

En quelques minutes, Arkatz et Ezti vinrent à bout de leurs adversaires, mais Diviac qui avait reconnu Egon, se défendait avec le désespoir de la haine. C'était un redoutable manieur d'épée. Adossé au mur pour n'être pas pris à revers, il portait de terribles bottes qu'Egon paraît avec sa lame d'acier. Le duel était égal.

Enfin, Egon, après une esquive risquée où il se découvrit complètement, parvint, par un effort suprême, à faire sauter l'épée de la main de son adversaire. Il poussa sa lame sur sa poitrine. A ce moment, une voix retentit :

— Arrêtez, barbares, et jetez vos armes. Sans quoi je coupe la gorge de cette femme !

Dunmac venait d'apparaître à la porte du fond. Il tenait Beatha par la taille et sa serpe de druide était contre la gorge de la jeune fille.

Sans relâcher la pression de son épée sur la poitrine de

115

Diviac, Egon jeta un regard au druide, cherchant une parade. Mais il n'en trouvait pas. Arkatz et Ezti avaient déjà lâché leurs épées. S'il lâchait la sienne, le poignard qu'il voyait à la ceinture de Diviac aurait tôt fait de régler son compte. Il eut un instant de désespoir.

Et puis, soudain, il y eut un éclair argenté dans la main d'Ezti. Dunmac tituba avec un affreux gargouillis, lâchant Beatha. Un poignard était fiché dans sa gorge.

— J'aurais pu la toucher, dit Ezti toute pâle.

Arkatz la prit dans ses bras et elle se mit à sangloter.

Posément, avec une sorte de jouissance cruelle, Egon enfonça son épée dans la poitrine de Diviac, puis il se précipita vers Beatha.

— Mon amour !

Elle se serra contre lui, sans voix, et il sentit entre ses mains combien elle était amaigrie et frêle.

— Il ne faut pas rester ici, dit Arkatz. Partons !

Ils allaient atteindre la porte quand elle fut violemment ouverte. Quatre guerriers arvernes qui portaient sur leur visage la marque des fatigues du combat, firent irruption. D'un coup d'œil, celui qui les commandait vit les cadavres des trois Lingons et celui du druide. Ce dernier spectacle parut le frapper profondément.

— Qui a fait cela ? demanda-t-il.

— C'est moi, dit Ezti.

— Toi ? N'est-ce pas toi qui es une femme ?

D'un geste brutal, il fit voler le casque d'Ezti et déchira son justaucorps.

— Votre traîtrise est démasquée, dit-il. Votre complice, l'espion lingon qui se faisait passer pour un Eduen, a été tué par un carreau de scorpion sur la plateforme, mais, avant de mourir, il a avoué sa trahison et vous a dénoncés.

Idomar était donc mort. Sans doute, dans le délire de ses derniers instants, n'avait-il pas pu contrôler ses paroles. Ils avaient libéré Beatha, mais, à leur tour, ils étaient prisonniers et en péril de mort.

On les ramena à leur cellule et, cette fois, le verrou fut mis.

116

Pourtant la captivité parut moins dure à Egon, car maintenant il était avec Beatha.

Par bribes, elle raconta son aventure. Après l'avoir enlevée, ses ravisseurs s'étaient dirigés vers Gergovie où ils s'étaient joints aux forces de Vercingétorix. Mais, renégats ou non, le chef arverne se méfiait des Lingons. Il ne les avait pas enrôlé dans son armée, mais les avait confiés à la surveillance des druides. L'idée de Dunmac, après la victoire de Vercingétorix, était de soumettre les Lingons, de faire exécuter Victolitav et de faire proclamer Diviac *vergobret* à sa place. Il avait retardé le mariage de Diviac avec Beatha pour avoir le loisir d'instruire cette dernière dans le druidisme, espérant ainsi en faire entre ses mains le moyen d'exercer le pouvoir réel.

— J'ai feint d'accepter, dit Beatha, pour gagner du temps. Si j'avais dû épouser Diviac, je me serais tuée avant.

Ezti était encore nerveuse et abattue. Egon s'en inquiéta.

— Ce n'est rien, dit-elle, un simple malaise.

— Je vais m'occuper d'elle, dit Beatha.

Les deux jeunes femmes se retirèrent dans un coin de la cellule. Arkatz et Egon les entendaient chuchoter tandis que, près de la fenêtre, ils essayaient de deviner ce qui se passait à l'extérieur. Par moments, on entendait, assourdies, les clameurs lointaines de la bataille et, de temps en temps, la chute d'une pierre lancée par une catapulte ébranlait la maison.

La nuit tomba. Peu à peu, le silence se fit. Beatha et Ezti avaient fini par s'endormir, la tête de la Vasconne reposant sur les genoux de la Gauloise.

De longues heures passèrent. Puis, soudain, la porte s'ouvrit et le guerrier qui les avait arrêtés parut, leur faisant signe de venir.

— Vercingétorix veut vous voir, dit-il.

Dans la pièce où ils étaient venus la première nuit, le chef gaulois était assis, les bras croisés sur sa poitrine, perdu dans ses pensées. Les lieutenants qui l'entouraient portaient la marque de la bataille. Certains étaient blessés. Personne ne leva les yeux à leur entrée. Enfin, Vercingétorix parla, les yeux perdus dans le vague.

— Nous n'avons pas été vaincus, dit-il, et nous avons été bien près de vaincre. Mais César a repoussé l'armée de secours. Vercassivelaun a été tué là-bas, dans la plaine et dans les collines, les cavaliers germains achèvent de massacrer nos frères dispersés. Nul ne viendra plus à notre secours. Je n'ai donc plus qu'à capituler, mais auparavant...

Ses yeux lourds de fatigue et de chagrin se posèrent sur les quatre compagnons.

— Auparavant, je dois décider ce que je ferai de vous. Quand il a été blessé à mort, le déguisement de l'espion lingon qui vous accompagnait a été découvert. Ses amis romains lui ont infligé le châtiment que je lui aurais fait subir. Mais, avant de mourir, il a tout avoué afin de vous mettre hors de cause. Je sais qui vous êtes et pourquoi vous êtes venus.

Il désigna Egon et Beatha du doigt.

— Vous deux, je vous fais grâce de la vie et je vous laisse libres. Je me suis toujours méfié des ambitions de Diviac et toi, jeune barbare vascon, je ne saurais te reprocher d'avoir voulu sauver ta fiancée. Ton acte était courageux et Vercingétorix respecte le courage.

Son doigt désignait maintenant Ezti.

— Mais celle-ci a commis un crime impardonnable. Elle a tué un druide. C'est un sacrilège que seul le châtiment suprème peut expier. Elle va donc mourir.

— Je mourrai avec elle! s'écria Arkatz.

— Tu es son mari et je te comprends, dit Vercingétorix. Vous allez donc tomber sous les coups de mes hommes. Qu'on les emmène!

A ce moment, Beatha s'avança et s'agenouilla devant le chef arverne.

— Non, Vercingétorix! s'écria-t-elle. Tu ne peux pas faire tuer cette femme! La loi des Celtes dit que lorsqu'une femme condamnée à mort attend un enfant, on doit surseoir à son exécution jusqu'à ce qu'elle le mette au jour!

Eperdu, Arkatz saisit Ezti dans ses bras. Vercingétorix la regardait d'un air pensif.

— Tu attends un enfant? demanda-t-il.

— Oui, seigneur, répondit-elle d'une voix à peine audible.

Vercingétorix fit un signe vers un vieux druide à barbe blanche qui se tenait derrière-lui.

— Qu'on vérifie les dires de cette femme.

Le druide prit Ezti par le bras et la conduisit hors de la pièce.

Arkatz fit mine de vouloir la suivre, mais les guerriers le retinrent. Il se tourna vers Beatha.

— Pourquoi ne m'a-t-elle rien dit?

— Elle me l'a avoué cette nuit, Arkatz. Depuis votre départ d'Alingo, elle savait qu'elle était enceinte, mais elle avait peur que tu ne veuilles pas l'emmener avec toi.

— Je ne l'aurais certainement pas emmenée. Pourquoi a-t-elle fait cela?

— Je suppose que c'est par amour pour toi.

Le vieux druide rentrait, suivi d'Ezti. Il s'avança vers Vercingétorix.

— Cette femme dit vrai, Vercingétorix. Elle accouchera dans quatre lunes.

— Dans quatre lunes, où seront Vercingétorix et ses compagnons? murmura l'Arverne.

— Puis-je ajouter, en tant que le plus ancien des druides, qu'elle n'a pas agi avec une intention sacrilège, mais parce que Dunmac menaçait d'égorger cette autre femme, ce qui est un acte indigne d'un druide et que j'aurais moi-même châtié. Comme Diviac, Dunmac était dévoré d'ambition.

Vercingétorix réfléchit un moment, puis il leva la tête.

— Bien, dit-il, je vous fais grâce à tous les quatre. Je vais vous renvoyer chez les Romains. Vous serez mes messagers auprès de César. Dites-lui que je me rendrai demain à midi. Je sortirai par la porte sud, face à sa tente. Allez, maintenant. Qu'on les conduise aux avant-postes.

Le jour commençait à se lever quand ils se présentèrent aux sentinelles romaines. Le passage des lignes fut relativement facile car les assauts de Vercingétorix avaient, sur près de mille pas, à peu près complètement détruit les défenses romaines. Par bonheur, c'était la XIᵉ légion qui était de garde. On les conduisit immédiatement à Indurus.

Le tribun apprit avec tristesse la mort d'Idomar, mais il était visible que le retour des trois Vascons et de Beatha atténuait considérablement sa peine.

— Il faut, dit-il, rendre compte à César. Je vais le faire prévenir sur-le-champ.

César écouta attentivement le récit d'Egon, puis il hocha la tête.

— Il s'en est fallu de peu, dit-il, que Vercingétorix fasse sa jonction avec l'armée de secours. Sans le courage et l'habileté du légat Labiénus, il y serait arrivé. C'est un chef de guerre redoutable et je ne puis le laisser en liberté. Il s'attend peut-être à être traité en roi vaincu, avec les honneurs de la guerre. Il sera traité en prisonnier. J'épargnerai les Eduens et les Arvernes qui pourront devenir des alliés utiles, mais tous les autres hommes de la garnison d'Alesia seront réduits en esclavage. Chacun de mes soldats recevra au moins un esclave gaulois. Va, maintenant, Egon, je vous reverrai plus tard, toi et tes amis.

A midi, sur l'esplanade, César s'assit, revêtu d'un grand manteau pourpre, sur sa chaise curule dressée en plein milieu de la tribune proconsulaire. Par dizaines, les aigles des cohortes l'entouraient et les légions étaient rangées en bon ordre sur les ruines des retranchements. Les trompettes retentirent. La porte de la ville s'ouvrit et un cavalier solitaire dévala au galop les pentes de l'*oppidum*, évitant habilement les derniers pièges dispersés. Il déboucha sur l'esplanade et vint s'arrêter net devant César. C'était Vercingétorix, portant une cuirasse rutilante et couvert de bijoux d'or, d'argent et d'émail. Il jeta son bouclier, son glaive et son casque devant la tribune, puis défit sa cuirasse et la jeta aussi. Sautant de son cheval, droit, les cheveux au vent, ses bras vigoureux croisés sur sa poitrine, il dit à son vainqueur d'une voix puissante :

— *Habe!* Prends!

César ne répondit pas. Il regarda longtemps le chef gaulois vaincu, puis fit un geste. Des légionnaires s'approchèrent, chargèrent Vercingétorix de chaînes et l'emmenèrent.

Egon qui regardait la scène avec des sentiments mêlés, dut s'avouer qu'aucun des deux ennemis n'avait manqué de grandeur.

120

Les jours suivants furent occupés par l'évacuation de la ville conquise. Les troupes éduennes et arvernes s'en furent après que leurs chefs eurent juré fidélité à Rome. Le camp romain s'augmenta de quelques dizaines de milliers d'esclaves, mais le ravitaillement était redevenu abondant. Des convois entiers de nourriture arrivaient des camps gaulois pillés et Victolitav fit envoyer de Divio plusieurs charrois de vin et de blé. De la population civile d'Alesia, il ne restait plus en vie que cent ou cent cinquante personnes.

Le dixième jour, César appela Indurus.

— Avec la capture de Vercingétorix, lui dit-il, le danger le plus pressant est écarté, mais la guerre n'est pas terminée. Les Bituriges et les Carnutes continuent le combat. Dans le nord, les Trévires ont fait alliance avec les Germains et Ambiorix est réapparu avec ses hordes. Je ferai campagne dans le nord de la Gaule cet hiver, mais, dans le sud, la situation n'est pas meilleure. Lucter, l'ancien commandant de la cavalerie de Vercingétorix, a rallié les Pétrocoriens et une partie des Cadurques. Tu vas partir avec ta légion sous les ordres du légat Caïus Caminius Rebilus. Vous nettoierez le sud de la Gaule. Dès que je pourrai, je vous y rejoindrai. Quand la pacification sera terminée, tu te dirigeras vers l'Aquitania où, paraît-il, les Tarbelles s'agitent et où les tribus non soumises gênent le passage des cols des Pyrénées. De là, tu gagneras l'Hispanie par Iluro pour prendre garnison à Pompaelo. C'est chez toi, je crois.

— Oui, César. Et que ferai-je d'Arkatz, d'Egon, d'Ezti et de Beatha?

— Tu les laisseras à Alingo au passage, mais je doute que la jeune femme arrive à temps pour y accoucher.

— Nous avons d'habiles *obstetrices* dans la suite de légion, César. Comme tu le sais, en cours de campagne, les naissances ne sont pas rares.

— Pour ce qui est des deux autres, ajouta César, ils veulent se marier, je crois. Autant ne pas les faire attendre. Fais les venir cet après-midi et amène un flamine.

La cérémonie fut brève. Egon et Beatha partagèrent le pain et le sel, firent les libations et échangèrent la vieille formule romaine du mariage qui ressemblait étonnamment au *hizateko nizateko* rituel des Gizons.

— *Ubi tu Gaïus, ego Gaïa.*

— *Ubi tu Gaïa, ego Gaïus.*

Le soir, on fêta l'événement dans la tente d'Indurus avec du vin de Divio et des coqs rôtis dont le sang avait été versé et les entrailles brûlées en l'honneur des manes d'Idomar.

Jusqu'au début de décembre, les légions de Rebilus sillonnèrent les montagnes bituriges, lémovices et cadurques, livrant bataille ici, recevant là des soumissions sans combat. Quand elle ne put plus monter à cheval, Ezti fut placée dans une litière que portaient huit esclaves gaulois. Arkatz chevauchait à ses côtés et Beatha lui tenait compagnie.

Les pentes des Montagnes Rondes étaient couvertes de neige quand Rebilus entra en contact avec Lucter. Il y eut des combats de cavalerie, mais les Gaulois refusaient la bataille rangée. Après un mois d'esquives, ils finirent par se jeter dans l'*oppidum* d'Uxellodunum[1] et Rebilus mit le siège autour de la place forte.

Egon fut surpris et ému d'apprendre que la rivière qui coulait devant Uxellodunum se jetait dans la Garumna. Alingo n'était plus très loin. Il lui tardait de retrouver son pays natal afin d'y couler avec Beatha des jours tranquilles.

Lucter ne donnait pas signe de se rendre et Rebilus commençait à songer à donner l'assaut, malgré les dangers que présentaient l'attaque frontale d'une forteresse aussi bien défendue par la nature qu'Uxellodunum, quand César arriva, ayant traversé toute la Gaule du nord au sud en un mois, laissant derrière lui un sillon sanglant. Il s'enquit aussitôt de l'état du ravitaillement dans l'*oppidum* assiégé.

— Il est meilleur que celui d'Alesia, répondit Rebilus. Ils peuvent encore tenir des semaines.

— Et l'eau? demanda le proconsul.

— Ils captent une source au nord-est de la ville.

— En dehors des remparts?

— Oui, à quelques centaines de pas.

1. Actuellement probablement *Capdenac* sur le Lot.

César fit venit son *magister munitorum*.

— Il y a une source au nord-est de la ville, lui dit-il. Tu vas la détourner et assécher l'aqueduc qui alimente la ville.

Ce fut fait le jour même malgré les volées de flèches dont les défenseurs gaulois accablaient les travailleurs. La garnison d'Alesia avait résisté des semaines à la faim. Celle d'Uxellodunum fut réduite par la soif en huit jours. Lucter se rendit. César le fit battre de verges et il était déjà mort quand on le décapita. Tous les défenseurs d'Uxellodunum furent libérés après avoir eu les mains tranchées.

— Je n'aime guère ces cruautés, confia César à Indurus, mais les Gaulois ne comprennent que l'exemple. Quelques milliers d'hommes sans mains me garantiront leur fidélité à Rome davantage que tous les serments.

Puis il confirma ses ordres d'Alesia et, à la fin du mois de Januarius, la XI^è légion se mit en route vers la vallée du Duranus.

C'est le huitième jour que les troupes arrivèrent en vue de Monticellus Admatus. La ville avait grandi et la campagne alentour s'était couverte de cultures luxuriantes. Sur les collines déboisées, on voyait des rangées de vigne et de gros troupeaux de vaches paissaient au bord de la rivière.

Le *praetor* de Monticellus Admatus, un Vascon vasate d'origine, fit fête à Indurus et à ses compagnons. C'est pendant le séjour dans la ville, le dernier jour du mois d'Ourtarilla selon le calendrier gizon, le deuxième des calendes de Februarius de l'année 701 de la fondation de Rome selon le calendrier romain, qu'Ezti fut prise des douleurs de l'enfantement et donna le jour à une petite fille.

Selon la coutume des Gizons, Arkatz prit place à côté d'elle sur la couche et, saisissant le nouveau-né dans ses mains, le souleva.

— Nous l'appellerons Admata, dit-il.

PAX VASCONA

ALINGO SORTAIT d'un hiver qui n'avait pas été trop rude. En quelques mois, les choses y avaient beaucoup changé. Aberat portait la toge comme la plupart des notables. Cela rehaussait encore sa prestance et faisait ressortir le noir profond de sa barbe sur le vêtement blanc garni d'une bande pourpre.

Tout à son métier, Haret avait conservé son costume traditionnel, avec le grand tablier de cuir qui lui servait rarement car il ne touchait plus guère au marteau ni à l'enclume, le labeur étant confié à des esclaves gaulois ou à des travailleurs vascons. L'atelier s'était encore agrandi et produisait, outre des haches pour les gens de la forêt, des socs en fer que les Lingons avaient appris aux Vascons à utiliser sur leurs araires de bois.

Zuhur était devenu flamine de Jupiter, mais quand il disait les prières et les incantations dans la vieille langue, il appelait toujours le père des dieux Jaongoïkoa.

Présidant à tous ces changements en tant que commandant de la petite garnison romaine, Haber avait atteint l'âge de l'*honesta missio* et n'attendait que la relève pour abandonner la vie militaire et s'associer comme régisseur avec Cerdo qui, plus gras que jamais, faisait maintenant fructifier un domaine qui s'agrandissait de mois en mois, au fur et à mesure du déboisement. Il avait fait planter sur plusieurs jugères de terrain vallonné des ceps de vigne spécialement apportés de Pompéi et promettait de produire dans quelques années des vins pouvant rivaliser avec les meilleurs crus italiens.

Indurus jugea qu'il n'était plus nécessaire de maintenir une garnison romaine à Alingo et, d'accord avec ses collègues tribuns, il procéda à une réorganisation de la légion, donnant leur congé aux vétérans qui recevaient une concession de terres soit à Alingo, soit dans la Narbonnaise, soit en Italie. Il recruta une centaine de jeunes Vascons dans les environs pour compléter ses effectifs et chargea Aberat d'organiser une petite force de défense locale au cas, bien improbable, où des troubles se produiraient dans la région.

La Garumna était devenue un fleuve pacifique et, avec les grandes marées d'équinoxe, le trafic s'accrut encore. Les chalands chargés de blé d'Aquitania remontaient le cours de la Garumna, parfois à la voile ou à la rame, mais le plus souvent halés par des corvées d'esclaves. De temps en temps, un gros transport chargé d'étain et de bronze à destination de Tolosa faisait escale à Alingo où Cerdo lui vendait les produits de la forge d'Haret ainsi que ceux que ses prospecteurs lui ramenaient de l'arrière-pays. En descente, les bateaux apportaient de l'huile, des produits d'Orient et surtout du vin dont la consommation se répandait. Les Vivisques de Burdigala s'étaient fait une spécialité de ce commerce. Grands importateurs de vin de Campanie ; ils veillaient jalousement à leur monopole, faisant payer fort cher un produit encore rare dans la région, mais qui tendait à remplacer la bière, la cervoise ou l'hydromel.

Arkatz et Ezti s'étaient installés sans peine dans la routine de leur vie ancienne, leur seul regret étant qu'Arima ne fût plus là pour profiter de sa petite-fille.

Pour Egon qui s'initiait à sa nouvelle condition d'homme marié, les choses étaient un peu plus difficiles. Non que Beatha eût rencontré la moindre gêne pour s'intégrer à la communauté vasconne dans laquelle les anciens Lingons s'étaient maintenant complètement fondus, mais, en l'absence d'une matrone, son statut au foyer d'Haret était ambigu. De droit, le rang d'*etxeren ama*, de maîtresse de la maison, revenait à Ezti puisque Arkatz était l'aîné. Mais elle n'avait guère de goût pour les obligations que cela entraînait. Restée libre et indépendante, Ezti préférait travailler de ses mains aux côtés de son mari et d'Egon. C'était, certes, une bonne mère et elle s'occupait tendrement de sa petite Admata, mais diriger le travail des esclaves et des serviteurs, surveiller les provisions et tenir les comptes ne l'amusait guère. Elle préférait déléguer ces responsabilités à Beatha qui s'en acquittait fort bien. Cependant, quand il lui fallait prendre une décision, celle-ci en ressentait un certain malaise, comme si elle usurpait une place qui n'était pas la sienne.

Elle s'en ouvrit un jour à la vieille Amagoïa qui commença par la regarder attentivement.

— Es-tu sûre, ma fille, demanda-t-elle, que tu n'attends pas un enfant?

— J'y ai pensé, *ama*, mais je ne suis pas encore certaine.

— Moi si. Il y a des signes qui ne trompent pas. Au début du mois d'Azilla, tu donneras un enfant à Egon. Il sera préférable, alors, que vous ayez votre propre maison. Cela résoudra tes problèmes. Parles-en à Egon.

— Mais, *ama*, Arkatz, Ezti et lui ont toujours vécu en frères et sœur. Si nous n'habitons plus ensemble, Haret va terriblement en souffrir.

— Vous en souffrirez tous d'abord, mais Haret est trop sage pour ne pas savoir ce que la vie exige. Les familles vont croissant et il faut un jour qu'elles se séparent. Tu souffriras quand tu te sépareras de l'enfant que tu portes.

Tout le monde souffrit quand la légion se remit en route vers Tarbellicae Aquae et qu'il fallut se séparer d'Indurus.

— J'ai peine à croire, dit le tribun en regardant autour de lui, que cinq années seulement se sont écoulées depuis que la bataille de Sos a eu lieu. Tout a tellement changé!

— Grâce à toi, Indurus, répondit Aberat. Avant ton arrivée, nous n'étions que des barbares ignorants. Maintenant, nous sommes en passe de devenir des citoyens romains.

— Je me demande quelquefois si cela vaut mieux. Rome n'apporte pas que du bon. Regarde Adiatuanus. Il n'était que le *gehien* de Sos et ne s'en tirait pas trop mal. Il voulu être *rex* des Sosiates et maintenant, ses compatriotes l'ont chassé pour le remplacer par des magistrats élus.

— Rassure-toi, Indurus, je n'ai pas l'intention de me proclamer roi d'Alingo.

— Toi, sans doute, mais il y en a que tente le titre de roi de Rome. C'est ce qu'on chuchote de César. L'ambition a provoqué la culbute du pauvre Adiatuanus. Elle a fait tomber ce grand chêne qu'était Vercingétorix. Puisse-t-elle ne pas provoquer la chute de César! La *pax romana*, la paix romaine dont vous jouissez est fragile. Pour le moment, elle ne tient qu'à un homme.

— Elle tient aussi aux peuples, dit Egon. La leçon que j'ai tirée de tout ce que j'ai vu, c'est que chaque peuple doit être le maître chez lui, mais qu'aucun peuple ne peut être le maître chez lui s'il n'accepte de s'unir avec les autres peuples.

— C'est une bonne leçon, dit Indurus. Pour leur malheur, les Gaulois ne l'ont jamais apprise. Maintenant, il me reste à aller la rappeler à nos frères Vascons.

Quelques jours après le départ de la légion, Beatha fit savoir à Egon qu'il allait être père.

— Je suis heureux, dit-il en l'embrassant tendrement, de n'avoir pas attendu aussi longtemps qu'Arkatz pour l'apprendre.

— Amagoïa pense que nous devrions nous construire une maison pour abriter notre famille.

— J'y ai songé, dit Egon. Haret est d'accord pour que nous séparions la fonderie de la forge. J'ai beaucoup d'idées. Nous pourrions fondre non seulement le fer, mais l'étain et le cuivre. Arkatz pourrait fabriquer des objets en bronze. Viens voir l'endroit que j'ai choisi pour nous installer.

Il la conduisit jusqu'à la berge de la Garumna, un peu en aval de l'emplacement où les Lingons avaient campé lors de leur arrivée. Là, à l'amorce du coude formé par le fleuve, s'élevait un rocher à quelque trente pieds au-dessus de l'eau.

— Nous construirons notre maison ici. Nous y serons à l'abri des crues.

— Mais c'est en dehors de l'*oppidum*!

— Il n'y a plus besoin d'*oppidum*. Le temps des guerres est passé. Le pays est en paix.

— On dit que la légion d'Indurus va livrer bataille dans le sud.

128

— Ce ne seront que des escarmouches. Nos frères, les Vascons, ne sont pas des gens faciles, mais ils sont assez avisés pour comprendre, eux aussi, les bienfaits de la paix. Ils commencent à en prendre le goût.

De fait, il était de plus en plus fréquent que des caravanes vasconnes viennent de l'intérieur des terres s'approvisionner dans les petits ports comme Alingo qui se développaient le long de la Garumna. Même la petite ville nitiobroge de Paean dont l'*oppidum* se dressait sur la haute falaise de l'autre rive, à deux milles d'Alingo, s'ouvrait au commerce. Des Vascons de l'Entre-Deux-Mers s'y étaient installés. Comme à Alingo, on y parlait un latin déformé par la prononciation locale, mais toujours compréhensible, qui tirait sur celui de la Narbonnaise.

Tout au long du printemps et de l'été, on travailla à la construction de la maison d'Egon et de Beatha et à l'installation de la nouvelle fonderie. Tout près, sur le roc, un Vascon de Vasatz décida d'implanter une scierie où l'on débitait des planches, ce qui facilitait la manutention. Arkatz et Ezti venaient parfois donner la main. Cette dernière attendait un deuxième enfant et, ne pouvant plus participer aux travaux de force, elle se consacrait davantage à sa maison. Elle y prenait goût et devenait plus femme. Elle apprenait de Beatha l'art de se parer et de faire ressortir sa beauté un peu sauvage. Cerdo avait toujours quelque bracelet, quelque collier, quelque pendentif à offrir aux jeunes femmes.

A l'automne, Egon et Beatha emménagèrent dans la nouvelle maison avec l'oncle Cymrith. Les sœurs de Beatha s'étaient mariées. Un mois plus tard, Beatha donna naissance à un garçon. Ayant, comme Arkatz, pris place à côté d'elle sur la couche, Egon saisit l'enfant dans ses mains et lui dit :

— Tu t'appelleras Idomarus, en souvenir de celui qui a été un père pour nous et qui est mort pour que tu naisses.

La fin de l'automne était belle et douce. Les vignes de Cerdo, trop jeunes encore pour porter des fruits, roussissaient sur les pentes. Un matin de grand soleil moëlleux et tiède, Egon et Beatha qui portait le petit Idomarus dans ses bras, allèrent s'asseoir sur le bord du rocher qui dominait la rivière.

Depuis plusieurs jours, on voyait passer des chalands chargés de légionnaires romains, qui remontaient le fleuve. On disait que c'étaient les troupes de César, venu en Aquitaine parachever la pacification entreprise par Indurus et recevoir l'allégeance des dernières tribus vasconnes. Elles retournaient en Cisalpine pour y prendre leurs quartiers d'hiver.

Ce matin-là, une barge, toute surchargée de sculptures dorées, apparut au coude du fleuve. Les voiles étaient pourpres et, gonflées par le vent d'ouest, permettaient au navire de remonter le fleuve à belle allure, aidé par le flot et les vingt paires de rames qui battaient de part et d'autre de la coque comme les ailes d'un grand oiseau.

Quand la barge arriva à l'aplomb d'Alingo, Egon fut surpris de voir les rames se lever et les voiles s'abaisser. Arc-boutés au grand aviron de poupe, les *gubernatores* pointaient vers l'embouchure du ruisseau.

Egon se leva et courut jusqu'au port. Plaçant l'enfant dans un fichu sur sa poitrine, Beatha le suivit. Ils arrivèrent au moment où l'embarcation mettait en panne à quelques pieds de la rive. Une planche fut lancée et, prestement, des esclaves y dressèrent une double rambarde faite d'un gros cordon rouge tressé.

Il y eut une sonnerie de trompettes et, seul, d'un pas délibéré, César descendit la passerelle improvisée. Aberat était déjà là pour l'accueillir. Cerdo, derrière lui, se perdait en courbettes et sourires lippus.

— *Ave, praetor!* dit César. J'ai beaucoup entendu parler de ta ville et je désirais la connaître.

Son regard perçant parcourut la foule qui s'était amassée. Quand il reconnut Egon, il sourit.

— *Ave,* jeune Vascon. Es-tu heureux avec l'épouse que je t'ai donnée?

Beatha s'avança, tendant vers César le petit Idomarus. Le proconsul posa sa main sur la tête de l'enfant.

— *Res ei semper faustas et secundas succedant!* dit-il. Quel est son nom?

— Idomarus, César.

130

— Vous l'appellerez en souvenir de moi Julius Idomarus.

Arkatz et Ezti s'avancèrent. La petite Admata reçut à son tour le *praenomen* de Julia.

Gracieusement, César accepta de passer la nuit à Alingo et d'assister au banquet que Cerdo, pratique, avait déjà prévu dans sa tête. Il y eut une vive discussion entre Aberat et le négociant. Ce dernier voulait que le repas eût lieu dans sa villa, mais Aberat tint bon. Si Alingo devait recevoir César, ce serait dans le vieux *biltoki etxea*.

Un taureau fut sacrifié par Zuhur sur l'autel de Jupiter Capitolin, celui-là même qu'Indurus avait jadis fait élever au bout du premier camp romain. Amagoïa examina les entrailles.

— Pour les siècles, ta gloire sera reconnue, César, dit-elle au proconsul.

— Pour les siècles peut-être, répondit-il, mais pour les années qui viennent, c'est moins certain.

Cerdo avait bien fait les choses. Sur des nappes brodées, on servit des ragoûts de gésiers d'oies, d'escargots, de tétines de truies, puis force boudins et saucisses, des cuissots de sangliers, des côtelettes de mouton, du bœuf bouilli, du barbeau de la rivière, des anguilles frites, des mules farcis et des gâteaux au miel et au lait de brebis, le tout arrosé d'un très vieux vin de Sorrente si épais que les esclaves devaient le mêler par moitié d'eau dans les cratères afin qu'il fût buvable.

César mangeait peu. Il laissait son regard aigu se promener sur l'assistance où dominaient les peaux mates et les cheveux noirs des Vascons, mais où l'on voyait aussi des tignasses rousses ou blondes de Gaulois et tous les types italiens, de la Cisalpine au Latium.

Ses yeux croisèrent ceux d'Egon qui était accoudé sur une peau de loup en face de lui.

— Je regarde ton peuple, Egon, dit-il, et je comprends ce qui fait sa force. Regarde : il y a ici des Vascons d'origine, des Gaulois, des Romains et vous vivez tous en bonne entente. Vous parlez tous le latin avec le même accent qui, je dois le dire, est abominable. Je frémis à l'idée de ce que penserait Cicéron s'il entendait parler sa langue par vos enfants dans deux ou trois générations. En fait, vous êtes tous des Vascons. Ceux qui ne l'étaient pas le sont devenus ou le deviendront. Votre secret, c'est votre pouvoir d'assimilation. Je m'en étais déjà rendu compte en Hispanie où les Celtes et les Ibères ne font qu'un seul peuple, plus ibère que celte. Ce qui a perdu les Gaulois en général et Vercingétorix en particulier, c'est qu'ils étaient irréductibles et n'acceptaient aucun compromis, aucun mélange.

— Que vas-tu faire de Vercingétorix, César? demanda Egon.

— Il est passé trop près de la victoire pour que je le laisse vivre. Je le garderai en vie comme une menace tant que mon propre pouvoir ne sera pas assuré.

— Mais sûrement, César, Rome doit te considérer comme un dieu après tout ce que tu as fait!

César eut un rire amer.

— Je n'en demande pas tant. Le petit peuple m'aime, c'est vrai, mais, à Rome aussi, il y a des irréductibles. Mon commandement militaire s'achève au début de l'année prochaine et il ne manque pas de sénateurs qui ne demandent qu'à ne pas le renouveler.

— Mais pourquoi?

— Parce que les patriciens de Rome reculent devant mon projet de ne faire qu'un seul peuple des montagnes de Perse à l'Océan, des plaines de Pannonie aux déserts d'Egypte, un peuple divers dans ses langues et ses mœurs, mais uni dans ses lois et protégé par la *pax romana*, la paix romaine, que leur assurent mes légions. Ils ont peur que je ne m'en fasse le roi.

— Et ce n'est pas ton intention?

— Egon, j'ai cinquante ans et ce n'est pas à cet âge qu'on a de telles ambitions, à moins d'être fou. C'est le privilège des adolescents comme Vercingétorix qui a à peine sept ou huit ans de plus que toi. Certes, il me faudra pendant un certain temps des pouvoirs absolus, mais je n'aspire pas à être roi. Il me suffit d'être l'*imperator* des armées pendant quelques années encore. Mon travail terminé, je me retirerai comme le dictateur Cincinnatus, et j'irai prendre ma retraite dans quelque endroit agréable... comme celui-ci, par exemple. Tu habites un beau pays, Egon. Le paysage me rappelle la plaine du Padus[1] avec quelque chose de la Tuscia[2]. Aime-le toujours, Egon. Il en vaut la peine.

— Je l'aime, César, et je n'ai pas l'intention de le quitter.

Après avoir passé la nuit dans la villa de Cerdo, César s'en fut le lendemain matin. La barge sculptée et dorée disparut au coude d'amont, poussée par la marée montante.

Cinq ans plus tard, Egon, Beatha, Arkatz et Ezti étaient assis sur le rocher où, à côté de la forge et de la scierie, se dressait maintenant un chantier où l'on sciait et sculptait la pierre extraite à Paean et amenée par radeaux. Le soubassement de la maison d'Egon était en pierre, ainsi que plusieurs nouvelles constructions d'Alingo. Zuhur envisageait de faire édifier un petit temple à Jupiter sur l'emplacement de l'autel primitif. Aberat avait donné son accord pour l'installation de thermes devant le *biltoki etxea*.

Les six enfants des jeunes couples jouaient sur l'herbe dans la fraîche douceur de ce matin d'avril.

Une barque romaine qui descendait de Tolosa vint toucher le port. Quelques instants plus tard, un tumulte de voix et de cris se fit entendre. Une étrange agitation s'emparait de la ville. Enfin, Cerdo parut, suant et soufflant, les vêtements déchirés et se labourant le visage avec les ongles.

— Un grand malheur! cria-t-il du plus loin qu'il put. César a été assassiné! La guerre civile a commencé entre ses héritiers!

Aberat, Haber et Zuhur arrivaient derrière le négociant. Le visage du *praetor* était soucieux.

— Je crains, dit-il, que ce terrible événement ne provoque un nouveau soulèvement des Gaulois.

Egon regarda l'autre rive. Au-delà des côteaux, ses yeux revoyaient les remparts d'Alesia en ruines, les files de prisonniers d'Uxellodunum mutilés s'en aller, hagards, dans la montagne.

— Je ne crois pas, dit-il. Les Gaulois sont un peuple qui bientôt n'existera plus dans la mémoire des hommes que

1. Actuellement le *Pô*.
2. Actuellement la *Toscane*.

133

comme celui des vaincus de César. Ils ne relèveront jamais la tête, alors que, du Duranus à l'Hispanie, le peuple vascon continuera de vivre, même s'il lui faut accueillir des réfugiés ou des envahisseurs. Peut-être devrons-nous nous battre, peut-être serons nous vaincus un temps, mais nous ne mourrons pas. L'empire romain dont rêvait César s'écroulera sans doute un jour et nous ne pourrons plus compter sur la *pax romana* pour nous protéger. C'est par notre courage, notre générosité, notre volonté de vivre que nous ferons régner sur ce pays, pour les siècles à venir, la paix vasconne.

LEXIQUE

Adsunt commilitones (latin): les camarades de combat sont là.

Agite! eia, agite! (latin): alerte! alerte!

Ama (basque): mère.

Ave (latin): salut.

Bardus (latin): barde.

Biltoki etxea (basque): maison de l'assemblée.

Bitarteko herri (basque): pays d'entre les deux.

Cardo maximus (latin): allée centrale du camp romain.

Carmina (latin): pl. de **carmen**, poème.

Castrum (latin): camp fortifié.

Cauponae (latin): pl. de **caupona**, auberge.

Ciccadae (latin): pl. de **ciccada**, cigale.

Cippi (latin): pl. de **cippus**, piquet aiguisé.

Commeatus (latin): ravitaillement.

Cupidinem (latin): accusatif de **cupido**, amour.

Custos corporis (latin): garde du corps.

Etxeren ama (basque): maîtresse de maison.

Ferri acies (latin): acier.

Gehien (basque): chef.

Gizon (basque): homme.

Gladius (latin): glaive.

Gubernatores (latin): pl. de **gubernator**, pilote.

Habe! (latin): aies! (prends!)

Honesta missio (latin): libération du service militaire.

Imperator (latin): général en chef.

Ituri (basque): fontaine.

Khalyps (grec) : acier.

Legatus (latin) : légat, administrateur de province ou lieutenant d'un général.

Lilia (latin) : pl. de **lilium**, cheval de frise.

Lucanica (latin) : saucisse sèche.

Magister munitorum (latin) : officier du génie responsable des fortifications.

Mutik (basque) : jeune homme.

Mutilak (basque) : garçon.

Munitores (latin) : pl. de **munitor**, sapeur du génie.

Obstetrices (latin) : pl. d'**obstetrix**, sage-femme.

Oppidum (latin) : forteresse, ville fortifiée.

Optiones (latin) : pl. d'**optio**, caporal.

Pila (latin) : pl. de **pilum**, javelot.

Praefectus (latin) : gouverneur.

Praenomen (latin) : prénom.

Praetor (latin) : préteur, administrateur.

Pulmentum (latin) : ration du légionnaire romain.

Quis homo? (latin) : qui vive?

Rex (latin) : roi.

Sehi (basque) : domestique.

Stimuli (latin) : pl. de **stimulus**, chausse-trappe.

Tepidarium (latin) : bain tiède.

Tubicen (latin) : trompette.

Turma (latin) : escadron de cavalerie.

Ubi tu Gaïus, ego Gaïa (latin) : formule rituelle du mariage romain : "Où tu seras, Gaïus, je serai, moi, Gaïa".

Valete (latin) : salut au pluriel.

Vallum (latin) : palissade, retranchement.

Vergobret (celte) : chef gaulois.

Zerat? (basque) : vers où?

L'ARMÉE ROMAINE

Légion : équivalent du régiment. Environ 6 000 hommes, infanterie et cavalerie.

Cohorte : équivalent du bataillon. Environ 600 hommes.

Manipule : équivalent de la compagnie. Environ 200 hommes.

Centurie : équivalent de l'escouade (2 sections). Environ 100 hommes.

Décurie : équivalent du groupe de combat. Environ 10 hommes.

LES GRADES

Imperator : Commandant en chef de l'armée.

Légat : équivalent de général, commandant une légion ou un groupe de légions et représentant l'*imperator*.

Tribun militaire : officier supérieur, équivalent de commandant ou colonel. Il y en a six par légion qui ont le commandement de la légion à tour de rôle.

Centurion : équivalent de lieutenant ou capitaine, commandant une centurie et parfois un manipule.

Décurion : équivalent de sergent, commandant une décurie.

Optio : équivalent de caporal ou de sous-officier adjoint.

Achevé d'imprimer en Italie. Mai 1989.